ITALIAN POCKET

A Headway phrasebook

Vincent Edwards
and
Gianfranca Shepheard

Headway · Hodder & Stoughton

British Library Cataloguing in Publication Data
Edwards, Vincent
    Italian in your pocket. – (In your pocket)
    1. Spoken Italian language
    I. Title   II. Shepheard, Gianfranca   III. Series
    458.3′421

    ISBN 0 340 50915 5

First published 1990

© 1990 Vincent Edwards and Gianfranca Shepheard

Typeset by Wearside Tradespools, Fulwell, Sunderland
Printed in Great Britain for the educational publishing division
of Hodder and Stoughton Ltd, Mill Road, Dunton Green,
Sevenoaks, Kent by Eagle Press, Glasgow.

Contents

Introduction

The aim of *Italian in your Pocket* is to give travellers to Italy, with little or even no knowledge of Italian, an accessible and useful source of Italian words and phrases so that they can draw the maximum advantage from visiting that interesting and beautiful country.

Whether for a tourist or a business person, this book tries to provide a structured grouping of words, phrases, and sentences based on a broad range of general social situations which the traveller might encounter, from arrival at the airport or railway station to getting round Italy successfully. More than that, it endeavours to give an insight into things particularly Italian, into what to do in Italy and how to do it, as well as practical hints and useful information.

This phrase book is meant specifically for those travellers who have little or no knowledge of Italian, though the book could also be of interest to more accomplished speakers of the language. The basic structures of Italian introduced here are limited, but sufficient for the traveller to ask meaningful questions and gather useful information. The guide to pronunciation has been developed so that English-speakers will find it easy to follow and apply. Unlike English, Italian has a relatively simple phonetic system. The contents list makes it easy to find words for the particular situation you are in, while the general vocabulary at the end is handy for reference.

The important thing is not to worry about accuracy and perfection – this will come with practice – but to have a go, understand and be understood. It is a good idea to study the pronunciation and basic expressions before you set off. In this way you will make the most of your stay in Italy, and while you are there, you will soon find that practice does make perfect and you will build up your knowledge of Italian.

Buon Viaggio!

Pronunciation

- The pronunciation in this phrase-book is indicated by words and syllables easily recognized by English-speaking people. Italian is pronounced as it is written, and every vowel and consonant is fully pronounced and never slurred.

symbol		Italian Word		English Word
a	as in	casa	compare with	star
e		mese		get
ee		vivi		eel
o		topo		hot
oo		uva		cool
k		campo		cat
ch		cielo		church
g		gatto		good
j		gentile		judge
LY		aglio		million
NY		ogni		onion
s		santo		sad
sh		scippo		ship
z		scusare		rose
dz		zitella		beds
ts		pizza		vets

- A double consonant indicates that the consonant should be intensified: this can change the meaning of the words eg *capelli* [hair], *cappelli* [hats].
- r is pronounced strongly, like the Scottish r.
- Italian has a strong stress on each word, the position of which can affect the meaning eg *meta* [aim], *metà* [half]. The stress is only written if the accent falls on the final syllable. In the following pages the stressed syllable in each word is indicated in bold type.
- h is silent in Italian: it is never pronounced on its own, but is used to give c and g a hard sound.

Basic expressions

Hello!/Bye!/Hi!/See you!	Ciao! *cheeao!*
Hello/good morning/ afternoon	Buongiorno *boo-onjeeorno*
Good evening	Buona sera *boo-ona sera*
Good night	Buona notte *boo-ona notte*
Good bye	Arrivederci/arrivederla! *arreevederchee/arreevederla*
How do you do?	Molto lieto/piacere *molto lee-eto/peeachere*
How are you?	Come stai?/come sta?/come va? *kome staee/kome sta/kome va?*
Please	Per piacere/per favore/per cortesia *per peeachere/per favore/per kortezeea*
Excuse me/I'm sorry	Scusi/scusa *skoozee/skooza*
Thank you	Grazie *gratsee-e*
I would like . . .	Vorrei . . . *vorre-ee . . .*
Where is . . . ?/Where are . . . ?	Dov'è . . . ?/Dove sono . . . ? *dove . . . ?/dove sono . . . ?*
Is there . . . ?/Are there . . . ?	C'è . . . ?/Ci sono . . . ? *che . . . ?/chee sono . . . ?*
Don't mention it [following *grazie*]	Prego *prego*
I like it/I don't like it	Mi piace/non mi piace *mee peeache/non mee peeache*

ARRIVAL AND DEPARTURE

- Whichever way you enter Italy – by air, land or sea – you will have to go through the usual passport and customs formalities.
- At airports and railway stations there will be transport to your destination. If you are using public transport in towns, you may need to buy a ticket before getting on the bus or tram. These tickets are normally available from bars, cafes and tobacconist's shops [see **Travel** section].
- On entering and leaving the country you should take note of the official currency regulations which restrict the amount of Italian currency you can bring in or take out.
- You can pick up a leaflet at ports and airports detailing duty-free allowances for alcohol, tobacco and gifts.
- Car hire is available in most major towns and points of entry into Italy. See page 86 for details.

By air

airplane	l'aeroplano/l'aereo *laeroplano/laereo*
airport	l'aeroporto *laeroporto*
arrivals	gli arrivi *LYee arreevee*
flight	il volo *eel volo*
What time will we get there?	A che ora arriviamo? *a ke ora arreeveeamo?*
Is the plane late/on time?	L'aereo è in ritardo/in orario? *laereo e een reetardo/een orareeo?*
How late is the plane?	Quanto ritardo ha l'aereo? *kooanto reetardo a laereo?*
Is the plane more/less than one hour late?	L'aereo ha più/meno di un'ora di ritardo? *laereo a peeoo/meno dee oonora dee reetardo?*
No smoking	Vietato fumare *vee-etato foomare*
Fasten seat belts!	Allacciare la cintura di sicurezza! *allachcheeare la cheentoora dee seekooretstsa!*
I cannot fasten my seat belt	Non riesco ad allacciarmi la cintura *non ree-esko ad allachcheearmee la cheentoora*
Can we smoke now?	Si può fumare adesso? *see poo-o foomare adesso?*
Where do we collect our luggage?	Dove si ritira il bagaglio? *dove see reeteera eel bagaLYeeo?*

By train

train	il treno *eel treno*
platform	il binario *eel beenareeo*
railway station	la stazione ferroviaria *la statseeone ferroveeareea*
Where are we?	Dove siamo? *dove seeamo?*

How many stops before we arrive in . . . ?	Quante fermate ci sono prima di . . . ? *kooante fermate chee sono preema dee . . . ?*
At what time does the train arrive in . . . ?	A che ora arriva il treno a . . . ? *a ke ora arreeva eel treno a . . . ?*

. . . Rome	. . . Roma *roma*
. . . Milan	. . . Milano *meelano*
. . . Naples	. . . Napoli *napolee*
. . . Venice	. . . Venezia *venetseea*
. . . Florence	. . . Firenze *feerentse*
. . . Turin	. . . Torino *toreeno*
. . . Genoa	. . . Genova *jenova*
. . . Leghorn	. . . Livorno *leevorno*

By boat

berth	la cuccetta *la koochchetta*
boat	la nave *la nave*
cabin	la cabina *la kabeena*
crossing	la traversata *la traversata*
cruise	la crociera *la krochee-era*
ferry	il traghetto *eel tragetto*
port/harbour	il porto *eel porto*
At what time will the ferry dock?	A che ora arriva il traghetto? *a ke ora arreeva eel tragetto?*
How long is the journey between ... and ... ?	Quanto dura la traversata fra ... e ... ? *kooanto doora la traversata fra ... e ... ?*
By what time should we leave our cabins?	Entro che ora dobbiamo sgombrare le cabine? *entro ke ora dobbeeamo sgombrare le kabeene?*
When will the car deck be open?	Quando si apre il ponte delle auto? *kooando see apre eel ponte delle aooto?*
Where is cabin number 6 please?	Dov'è la cabina numero sei per piacere? *dove la kabeena noomero se-ee per peeachere?*
I haven't booked a cabin: is there one free?	Non ho prenotato la cabina: ce n'è una libera? *non o prenotato la kabeena: che ne oona leebera?*

Passport control

customs	la dogana *la dogana*
customs duty	il dazio doganale *eel datseeo doganale*
border	il confine *eel konfeene*
customs officer	la guardia di Finanza *la gooardeea dee feenantsa*

You may hear:

Apra il cofano per piacere *apra eel kofano per peeachere*	Could you please open the boot
E'qui per affari o in vacanza? *e kooee per affaree o een vakantsa?*	Are you here on business or on holiday?
E' in transito? *e een tranzeeto?*	Are you passing through?
Dov'è diretto? *dove deeretto?*	Where are you going to?
Quanto si trattiene in Italia? *kooanto see trattee-ene een eetaleea?*	How long are you going to stay in Italy?

I'm on my way to the Milan Fair	Sto andando alla Fiera di Milano *sto andando alla fee-era dee meelano*
I'm here on business/holiday	Sono qui per affari/in vacanza *sono kooee per affaree/een vakantsa*
I've nothing to declare	Non ho niente da dichiarare *non o nee-ente da deekeearare*

I'm . . .	Sono . . . *sono . . .*
. . . British	. . . britannico/a *breetanneeko/a*
. . . English	. . . inglese *eengleze*
. . . Scottish	. . . scozzese *skotstseze*
. . . Irish	. . . irlandese *eerlandeze*
. . . Welsh	. . . gallese *galleze*
. . . American	. . . americano/a *amereekano/a*
. . . Canadian	. . . canadese *kanadeze*
I am staying for . . .	Conto di trattenermi . . . *konto dee trattenermee . . .*
. . . one week	. . . una settimana *oona setteemana*
. . . a fortnight	. . . quindici giorni *kooeendeechee jeeornee*
. . . one month	. . . un mese *oon meze*
. . . three months	. . . tre mesi *tre mezee*
I've only personal things	Ho solo effetti personali *o solo effettee personalee*
Do I have to declare this?	Devo dichiarare questo? *devo deekeearare kooesto?*
How much do I have to pay?	Quanto devo pagare? *kooanto devo pagare?*

Arrival and departure

I have ...	Ho ... *o ...*
... 200 cigarettes	... duecento sigarette *dooechento seegarette*
... cigars	... sigari *seegaree*
... perfume	... profumo *profoomo*
... spirits	... liquori *leekoo-oree*
... a bottle of whisky	... una bottiglia di whisky *oona botteeLYeea dee ooeeskee*

Lost property

My luggage hasn't arrived yet	I miei bagagli non sono arrivati *ee mee-e-ee bagaLYee non sono arreevatee*
Has the luggage from the London flight arrived?	Sono arrivati i bagagli del volo da Londra? *sono arreevatee ee bagaLYee del volo da londra?*
I've forgotten my glasses	Ho dimenticato gli occhiali *o deementeekato LYee okkeealee*
Where's the lost property office?	Dov'è l'ufficio oggetti smarriti? *dove looffeecheeo ojjettee smarreetee?*
My name is ...	Mi chiamo ... *mee keeamo ...*
My flight number is ...	Il numero del mio volo è ... *eel noomero del meeo volo e ...*

13

Luggage collection

Do we collect our luggage here?	Si ritirano qui i bagagli? *see reeteerano kooee ee bagaLYee?*
This suitcase is mine	Questa valigia è mia *kooesta valeejeea e meea*
Where are the luggage trolleys?	Dove sono i carrelli? *dove sono ee karrellee?*
Where's the way out?	Dov'è l'uscita? *dove loosheeta?*
Where's the information desk?	Dov'è l'ufficio informazioni? *dove looffeecheeo eenformatseeonee?*
Where are the taxis?	Dove sono i taxi? *dove sono ee taxee?*
Where are the buses for the city centre?	Dove sono gli autobus per il centro? *dove sono LYee aootoboos per eel chentro?*
Where is the bus stop for the air terminal?	Dove si prende l'autobus per il terminal? *dove see prende laootoboos per eel termeenal?*
Is it free?	E' gratis? *e gratees?*
How much is it?	Quanto costa? *kooanto kosta?*
Where do I get a ticket for the bus?	Dove si fà il biglietto per l'autobus? *dove see fa eel beeLYee-etto per laootoboos?*
Where's the underground?	Dov'è la metropolitana? *dove la metropoleetana?*
Where can I change some money?	Dove posso cambiare dei soldi? *dove posso kambeeare de-ee soldee?*

Departure

departures	le partenze *le partentse*
Where do we check-in?	Dove facciamo il check-in? *dove fachcheeamo eel chekeen?*
Am I on stand-by?	Sono in stand-by? *sono een standbaee?*
At what time does flight AB10 leave?	A che ora parte il volo AB10? *a ke ora parte eel volo a bee oono dsero?*
smoker/non-smoker	fumatore/non fumatore *foomatore/non foomatore*
I would like a seat near a window	Vorrei un posto vicino al finestrino *vorre-ee oon posto veecheeno al feenestreeno*
Here's my ticket/boarding card	Ecco il mio biglietto/la carta d'imbarco *ekko eel meeo beeLYee-etto/la karta deembarko*
Can I take this on board?	Posso portare questo sull'aereo? *posso portare kooesto soollaereo?*
I don't have any dangerous articles	Non ho articoli pericolosi *non o arteekolee pereekolozee*
Where's the duty free shop?	Dov'è il duty free shop? *dove eel deeootee free shop?*
From which gate does our flight leave from?	Da che uscita parte il nostro volo? *da ke oosheeta parte eel nostro volo?*
Have they already called flight A213?	Hanno già chiamato il volo A213? *anno jeea keeamato eel volo a dooe oono tre?*

All my clothes are in my suitcase	Tutti i miei vestiti sono nella valigia *toottee ee mee-e-ee vesteetee sono nella valeejeea*
All my work documents	Tutti i miei documenti di lavoro *tootee ee mee-e-ee dokoomentee dee lavoro*
Here's the address of my hotel	Questo è l'indirizzo del mio albergo *kooesto e leendeereetstso del meeo albergo*
Please ring me	Mi telefona per favore? *mee telefona per favore*
I'm leaving for . . . in 2 day's time	Fra due giorni parto per . . . *fra dooe jeeornee parto per . . .*
I'm staying at the hotel till . . .	Resto all'albergo fino a . . . *resto allalbergo feeno a . . .*
This is my hand luggage	Questo è il mio bagaglio a mano *kooesto e eel meeo bagaLYeeo a mano*
How much do I have to pay for the excess?	Quanto devo pagare per il peso in più? *kooanto devo pagare per eel pezo een peeoo?*
I have a pushchair/ wheelchair	Ho un passeggino/una sedia a rotelle *o oon passejjeeno/oona sedeea a rotelle*
Where's the waiting room?	Dov'è la sala d'aspetto? *dove la sala daspetto?*
The ferry will leave in half an hour	Il traghetto parte fra mezz'ora *eel tragetto parte fra medsdsora*
Is the sea likely to be smooth or rough?	Il mare sarà calmo o mosso? *eel mare sara kalmo o mosso?*

ACCOMMODATION

- Italy has all kinds of accommodation to suit different pockets and inclinations, from campsites and mountain chalets, secluded villas and seaside apartments to all categories of hotels and boarding houses. Be sure to book in advance during holiday periods and on special occasions such as trade fairs.
- There are over 40,000 hotels in Italy classified from one to five stars. The charges of each hotel are agreed with the Provincial Tourist Board and they depend on the locality, the season, the services and the class.

Hotels and boarding houses

boarding house	la pensione *la penseeone*
day hotel [with washing and laundry facilities, often near railway stations]	l'albergo diurno *lalbergo deeoorno*

Accommodation

five star hotel	l'albergo di lusso/l'albergo di prima categoria *lalbergo dee looso/lalbergo dee preema kategoreea*
hotel with/without restaurant	l'albergo con/senza ristorante *lalbergo kon/sentsa reestorante*
youth hostel	l'albergo della gioventù *lalbergo della jeeoventoo*
entrance	l'ingresso/l'entrata *leengresso/lentrata*
exit	l'uscita *loosheeta*
fire exit	l'uscita di sicurezza *loosheeta dee seekooretstsa*
ground/first/second/third floor	il pianterreno/il primo/secondo/terzo piano *eel peeanterreno/eel preemo/sekondo/tertso peeano*
landing	il pianerottolo *eel peeaner-ottolo*
lift	l'ascensore *lashensore*
reception desk	il banco di ricezione *eel banko dee reechetseeone*
stairs	le scale *le skale*
full board	pensione completa *penseeone kompleta*
half board	mezza pensione *medsdsa penseeone*
hotel manager	il gestore *eel jestore*
night-porter	il portiere di notte *eel portee-ere dee notte*
receptionist	l'impiegato *leempee-egato*

Registering

You may hear:

Desidera? *dezeedera?*	Can I help you?
Ha prenotato? *a prenotato?*	Have you booked in advance?
Quanto conta di trattenersi? *kooanto konta dee trattenersee?*	How long are you staying?
Camera singola o doppia? *kamera seengola o doppeea?*	Single or double room?
Mi favorisce il passaporto? *mee favoreeshe eel passaporto?*	Could you give me your passport please?

Have you any vacancies?	Ha delle camere libere? *a delle kamere leebere?*
I have reserved a room for seven days	Ho prenotato una camera per sette giorni *o prenotato oona kamera per sette jeeornee*
I haven't booked in advance	Non ho già prenotato *non o jeea prenotato*
My travel agent has booked the rooms	L'agenzia di viaggi ha prenotato le camere *lajentseea dee veeajjee a prenotato le kamere*
Here is the confirmation	Ecco la conferma *ekko la konferma*
We would like one double and one single room	Vorremmo una camera matrimoniale e una singola *vorremmo oona kamera matreemoneeale e oona seengola*

Accommodation

single room	una camera singola *oona kamera seengola*
twin-bedded room	una camera a due letti *oona kamera a dooe lettee*
double room	una camera matrimoniale *oona kamera matreemoneeale*
double bed	letto matrimoniale *letto matreemoneeale*
single beds/twin beds	letti singoli/letti gemelli *lettee seengolee/lettee jemellee*
Could you put a third bed in this room?	Potrebbe aggiungere un terzo letto in questa camera? *potrebbe ajjeeoonjere oon tertso letto een kooesta kamera?*
A room with a bath/with a shower	Una camera con bagno/con doccia *oona kamera kon baNYo/ kon dochcheea*
Is the bathroom on the same floor as the room?	Il bagno è sullo stesso piano della camera? *eel baNYo e soollo stesso peeano della kamera?*
I'd like a room for . . .	Vorrei una camera per . . . *vorre-ee oona kamera per . . .*
. . . a week	. . . una settimana *oona setteemana*
. . . a month	. . . un mese *oon meze*
. . . a few days	. . . alcuni giorni *alkoonee jeeornee*
. . . one night	. . . una notte *oona notte*

Accommodation

- When you stay in an Italian hotel/boarding house, you have to fill in a registration form [*un modulo*] which includes:

Nome e cognome *nome e koNYome*	First name and surname
Data di Nascita *data dee nasheeta*	Date of birth
Indirizzo *eendeereetstso*	Address
Residenza *rezeedentsa*	Permanent address
Nazionalità *natseeonaleeta*	Nationality
Numero di Passaporto *noomero dee passaporto*	Passport number
Durata del Soggiorno *doorata del sojjeeorno*	Length of stay

I have already filled in the form	Ho già riempito il modulo *o jeea ree-empeeto eel modoolo*
I don't know how long I'll be staying for	Non so per quanto tempo starò *non so per kooanto tempo staro*
On what floor?	A che piano? *a ke peeano?*
What number?	Che numero? *ke noomero?*
I'd rather stay in a room on the ground floor or first floor	Preferirei avere una camera al pianterreno o al primo piano *prefereere-ee avere oona kamera al peeanterreno o al preemo peeano*

I cannot climb the stairs for medical reasons	Non posso fare le scale per motivi di salute *non posso fare le skale per moteevee dee saloote*
How much do children pay?	Quanto pagano i bambini? *kooanto pagano ee bambeenee?*
Is there a cot/a bed for our child?	C'è una culla/un lettino per il bambino? *che oona koolla/oon letteeno per eel bambeeno?*
Is breakfast included?	Il prezzo comprende la colazione? *eel pretstso komprende la kolatseeone?*
Is VAT included in the price?	L'IVA è inclusa nel prezzo? *leeva e eenklooza nel pretstso?*
It is too expensive	Costa troppo/E'troppo caro *kosta troppo/e troppo karo*
I can't afford it	Non me lo posso permettere *non me lo posso permettere*
Have you got something a bit cheaper?	Avrebbe qualcosa di più economico? *avrebbe kooalkoza dee peeoo ekonomeeko?*
I'd like a room at the front/at the back of the hotel	Vorrei una camera sul davanti/sul retro dell'hotel *vorre-ee oona kamera sool davantee/sool retro dellotel*
I'd like to see the room before I make my mind up	Vorrei vedere la stanza prima di decidere *vorre-ee vedere la stantsa preema dee decheedere*
I'll take it	La prendo *la prendo*
I haven't made my mind up yet	Ancora non ho deciso *ankora non o decheezo*

It's too small/too big	E'troppo piccola/troppo grande *e troppo peekkola/troppo grande*
Where is the lift?	Dov'è l'ascensore? *dove lashensore?*
Where are the stairs?	Dove sono le scale? *dove sono le skale?*
Where are the fire exits?	Dove sono le uscite d'emergenza in caso d'incendio? *dove sono le oosheete demerjentsa een kazo deenchendeeo?*
What is the price . . . ?	Quanto costa . . . ? *kooanto kosta . . . ?*
. . . per night	. . . per notte *per notte*
. . . per week	. . . per settimana *per setteemana*
. . . per fortnight	. . . per due settimane *per dooe setteemane*
How much is full board?	Qual'è la tariffa per pensione completa? *kooale la tareeffa per penseeone kompleta?*
Is there a discount for . . . ?	C'è lo sconto per . . . ? *che lo skonto per . . . ?*
. . . children	. . . bambini *bambeenee*
. . . students	. . . studenti *stoodentee*
. . . pensioners	. . . pensionati *penseeonatee*
. . . parties	. . . comitive *komeeteeve*

Problems and questions

My cases are too heavy; could you help me carry them upstairs?	Le mie valigie sono pesantissime; mi aiuta a portarle su? *le mee-e valeejee-e sono pezanteessseeme; mee aeeoota a portarle soo?*
I'm sorry, but I have lost my key	Mi spiace, ma ho perso la chiave *mee speeache, ma o perso la keeave*
This hotel is too noisy	C'è troppo chiasso in questo albergo *che troppo keeasso een kooesto albergo*
Could I have a quieter room?	Vorrei una camera più tranquilla *vorre-ee oona kamera peeoo trankooeella*
Could you wake me up tomorrow at 6?	Domani mattina può darmi la sveglia alle sei? *domanee matteena poo-o darmee la zveLYeea alle se-ee?*
Could we have our passports back?	Può restituirci i passaporti? *poo-o resteetooeerchee ee passaportee?*
Could you call me a taxi for 10.30?	Mi può chiamare un taxi per le dieci e mezza? *mee poo-o keeamare oon taxee per le dee-echee e medşdsa?*
Why is the water off today?	Perché manca l'acqua oggi? *perke manka lakkòoa ojjee?*
I do not like the view from my room	Non mi piace la vista dalla mia camera *non mee peeache la veesta dalla meea kamera*

Accommodation

Is there a laundry service in this hotel?

C'è il servizio di lavanderia in questo hotel?
che eel serveetseeo dee lavandereea een kooesto otel?

Where is the socket for the razor?

Dov'è la presa per il rasoio?
dove la preza per eel razoeeo?

I need an adaptor for my hair drier/electric razor

Mi occorre un adattatore per il fon/rasoio elettrico
mee okkorre oon adattatore per eel fon/razoeeo elettreeko

Is there a garage where I can park my car?

C'è una rimessa per parcheggiare la macchina?
che oona reemessa per parkejjeeare la makkeena?

Here are my car keys

Ecco le chiavi della mia auto
ekko le keeavee della meea aooto

Where is the nearest bank?

Dove si trova la banca più vicina?
dove see trova la banka peeoo veecheena?

The air conditioning/the heating does not work

L'aria condizionata/il riscaldamento non funziona
lareea kondeetseeonata/eel riskaldamento non foontseeona

The fridge/TV set is out of order

Il frigorifero/il televisore è guasto
eel freegoreefero/eel televeezore e gooasto

It's too cold in our room and we'd like some extra blankets

Fa troppo freddo in camera e vorremmo altre coperte
fa troppo freddo een kamera e vorremmo altre koperte

Our room hasn't been cleaned

La nostra camera non è stata pulita
la nostra kamera non e stata pooleeta

There aren't enough towels in our bathroom	Non ci sono abbastanza asciugamani nel bagno *non chee sono abbastantsa asheeoogamanee nel baNYo*
Can I change some traveller's cheques here?	Vorrei cambiare dei traveller's cheque *vorre-ee kambeeare de-ee travellerz chek*
I'd like to phone this number in England	Vorrei parlare con questo numero in Inghilterra *vorre-ee parlare kon kooesto noomero een eengeelterra*
Can you dial the number for me?	Mi fa il numero? *mee fa eel noomero?*
Can I have an outside line please?	Mi dà una linea per favore? *mee da oona leenea per favore?*
I'd like to check this number in the telephone directory	Vorrei controllare questo numero nell'elenco telefonico *vorre-ee kontrollare kooesto noomero nellelenko telefoneeko*
What's the code number for Rome?	Qual'è il prefisso per Roma? *kooale eel prefeesso per roma?*

Paying the bill

I'd like to pay the bill	Vorrei pagare il conto *vorre-ee pagare eel konto*
I'll be leaving at six tomorrow morning: can you have my bill ready?	Partirò alle sei domattina: mi prepara il conto? *parteero alle se-ee domatteena: mee prepara eel konto?*
I must leave at once	Devo partire immediatamente *devo parteere eemmedeeatamente*

Accommodation

We are in a hurry	Abbiamo fretta *abbeeamo fretta*
I believe there's a mistake	Mi sembra che ci sia un errore *mee sembra ke chee seea oon errore*
I'd like to pay in cash/by credit card/by cheque	Vorrei pagare in contanti/con la carta di credito/con un assegno *vorre-ee pagare een kontantee/kon la karta dee kredeeto/kon oon asseNYo*
Does this bill also include my telephone calls?	Sono incluse anche le mie telefonate in questo conto? *sono eenklooze anke le mee-e telefonate een kooesto konto?*
I've already paid for my meals	Ho già pagato per i pasti *o jeea pagato per ee pastee*
I thought meals were included	Pensavo che i pasti fossero inclusi *pensavo ke ee pastee fossero eenkloozee*
I've already signed the cheque	Ho già firmato l'assegno *o jeea feermato lasseNYo*
I've signed/filled in the form	Ho firmato/compilato il modulo *o feermato/kompeelato eel modoolo*
signature	la firma *la feerma*
receipt	la ricevuta *la reechevoota*
VAT receipt	la ricevuta fiscale *la reechevoota feeskale*
Can I have a receipt please?	Mi dà la ricevuta per favore? *mee da la reechevoota per favore?*

Camping

● There are well over 1,600 camping sites in Italy and their prices vary according to the area and the facilities offered. More information is available from Centro Internazionale Prenotazioni, Federcampeggio, Casella Postale 23, 50041 Calenzano [FI], Tel. 055/88 2391 and from Touring Club Italiano, Corso Italia 10, 20122 Milano, Tel. 02/85261.

sleeping bag	il sacco a pelo *eel sakko a pelo*
tent	la tenda *la tenda*
Where can we camp for tonight?	Dove possiamo accamparci per stanotte? *dove posseeamo akkamparchee per stanotte?*
bar/hot snack bar	il bar/la tavola calda *eel bar/la tavola kalda*
restaurant	il ristorante *eel reestorante*
shops	i negozi *ee negotsee*
supermarket	il market/il supermercato *eel market/eel soopermerkato*
swimming pool	la piscina *la peesheena*
air mattress	il materassino gonfiabile *eel materasseeno gonfeeabeele*
barbecue	il barbecue *eel barbeekeeoo*
booking	la prenotazione *la prenotatseeone*
camp bed	la brandina *la brandeena*

camper	il campeggiatore *eel kampejjeeatore*
camping site	il campeggio organizzato *eel kampejjeeo organeedsdsato*
caravan	la roulotte/il caravan *la roolot/eel karevan*
caravan driver	il roulottista/il caravanista *eel roolotteesta/eel karevaneesta*
charcoal	la carbonella *la karbonella*
cool bag/cool box	la frigoborsa/la borsa termica *la freegoborsa/la borsa termeeka*
drinking water	l'acqua potabile *lakooa potabeele*
family discount	lo sconto per famiglie *lo skonto per fameeLYee-e*
four-berth caravan	la roulotte a quattro posti/cuccette *la roolot a kooattro postee/koochchette*
gas stove	il fornello a gas *eel fornello a gas*
to go camping	fare il campeggio *fare eel kampejjeeo*
inflator	la pompa *la pompa*
picnic/to picnic	il picnic/fare un picnic *eel peekneek/fare oon peekneek*
rucksack	lo zaino *lo dsaeeno*
showers	le docce *le dochche*

What's the charge . . . ?	Qual'è la tariffa . . . ?
	kooale la tareeffa . . . ?

. . . per night	. . . per notte
	per notte

. . . per caravan	. . . per roulotte
	per roolot

. . . per person	. . . per persona
	per persona

. . . per tent	. . . per tenda
	per tenda

. . . per car	. . . per macchina
	per makkeena

Where's the nearest camping site?	Dove si trova il campeggio più vicino?
	dove see trova eel kampejjeeo peeoo veecheeno?

| We didn't know that camping was not allowed here | Non sapevamo che il campeggio fosse vietato qui |
| | *non sapevamo ke eel kampejjeeo fosse vee-etato kooee* |

| Are there any shopping facilities in the area? | Ci sono dei negozi in zona? |
| | *chee sono de-ee negotsee een dsona?* |

| How far is the lake from the campsite? | Quanto dista il lago dal campeggio? |
| | *kooanto deesta eel lago dal kampejjeeo?* |

| No camping | Vietato il campeggio |
| | *vee-etato eel kampejjeeo* |

| What do we do with the refuse? | Dove buttiamo l'immondizia? |
| | *dove bootteeamo leemmondeetseea?* |

Self-catering holidays

- Information on accommodation for self-catering holidays is available from the Tourist Offices (*Aziende Autonome di Soggiorno*) of the localities chosen, from the Club Alpino Italiano, Via Foscolo 3, Milano, tel 02/802 554 and from Agriturist, Corso Vittorio Emanuele 101, Roma, tel 06/656241.

apartment	l'appartamento *lappartamento*
bungalow	il bungalow *eel bangelo-oo*
furnished apartment	l'appartamento ammobiliato *lappartamento ammobeeleeato*
We would like to rent the apartment	Vorremmo prendere in affitto l'appartamento *vorremmo prendere een affeetto lappartamento*
What is included in the rent?	Cosa è incluso nell'affitto? *koza e eenkloozo nellaffeetto?*
water	l'acqua *lakkooa*
gas	il gas *eel gas*
electricity	la luce/la corrente *la looche/la korrente*
Do we have to pay separately for . . . ?	Dobbiamo pagare separatamente per . . . ? *dobbeeamo pagare separatamente per . . . ?*
When do the dustmen come?	Quando passano gli spazzini? *kooando passano LYee spatstseenee?*
When does the maid come?	Quando viene la domestica? *kooando vee-ene la domesteeka?*

Youth hostels

- There are 52 Hostels in Italy. Information on
  addresses, membership cards and booking is
  available from the Associazione Italiana Alberghi per
  la Gioventù, Palazzo della Civiltà del Lavoro,
  Quadrato della Concordia, 00144 EUR Roma, tel
  06/591 3702 or from the Youth Hostel Association,
  14 Southampton Street, London WC2E 7HY, tel
  01–836 1036.

When does the hostel open/ close?	Quando apre/chiude l'albergo? *kooando apre/keeoode lalbergo?*
Here is my YHA membership card	Ecco la mia tessera dell'Associazione Alberghi per la Gioventù *ekko la meea tessera dellassocheeatseeone alberghi per la jeeoventoo*
Can one eat here?	Si può mangiare qui? *see poo-o manjeeare kooee?*
How many beds are there in each room?	Quanti letti ci sono per camera? *kooantee lettee chee sono per kamera?*
How many nights can I stay?	Quante notti posso restare? *kooante nottee posso restare?*
Can we leave our belongings here during the day?	Possiamo lasciare qui la nostra roba durante il giorno? *posseeamo lasheeare kooee la nostra roba doorante eel jeeorno?*
By what time do we have to clear the room?	Entro che ora dobbiamo sgombrare la stanza? *entro ke ora dobbeeamo zgombrare la stantsa?*

EATING OUT

- One of the delights of being in Italy is enjoying the rich variety of its food and of its restaurants. These can vary from the peak of high cuisine to modest establishments offering a limited menu. Price, however, is not the sole indicator of culinary excellence and good meals can be obtained in all kinds of settings.
- It is difficult to mention specifically *Italian* dishes as the cooking is strongly influenced by regional traditions. If you are unsure, let the waiter advise you.
- Main meals in Italy consist of four courses, although you don't have to eat them all! Firstly come *antipasti* – hors d'oeuvres – often based on either cold sliced meats, salami and various hams or seafood; then there are *primi*, either pasta, rice or soup dishes; *secondi*, the main course, are meat or fish dishes with a *contorno* of vegetables; to finish off there is usually fruit or, somewhat rarely, a dessert.

- Smaller restaurants will not necessarily have a printed menu and the waiter will tell you what is available that day.

Enjoy your meal!	buon appetito! *boo-on appeteeto!*
restaurant	il ristorante/la trattoria *eel reestorante/la trattoreea*
snack/sandwich bar	la paninoteca/la panineria *la paneenoteka/la paneenereea*
snack bar [hot food]	la tavola calda *la tavola kalda*
pizza restaurant/shop	la pizzeria *la peetstsereea*
rotisserie	la rosticceria *la rosteechchereea*
inn/tavern	l'osteria *lostereea*
I'm hungry	ho appetito/ho fame *o appeteeto/o fame*
I'm thirsty	ho sete *o sete*
I'm full	sono sazio *sono satseeo*

Getting a table

I would like to book a table	Vorrei prenotare un tavolo *vorre-ee prenotare oon tavolo*
A table for four	Un tavolo per quattro persone *oon tavolo per kooattro persone*
A table in the open	Un tavolo all'aperto *oon tavolo allaperto*
A table in the shade	Un tavolo all'ombra *oon tavolo allombra*

Do you have a table for two?	Avete un tavolo per due? *avete oon tavolo per dooe?*
At what time will you have a free table?	A che ora avrete un tavolo libero? *a ke ora avrete oon tavolo leebero?*
Can you keep a table for me for this evening?	Mi può riservare un tavolo per stasera? *mee poo-o reezervare oon tavolo per stasera?*
Is this place free?	E' libero questo posto? *e leebero kooesto posto?*
Are these places free?	Questi posti sono liberi? *kooestee postee sono leeberee?*
When does this restaurant open?	A che ora apre il ristorante? *a ke ora apre eel reestorante?*
Is the restaurant open tomorrow?	Domani il ristorante è aperto? *domanee eel reestorante e aperto?*

Getting a drink

Cheers!	Cin Cin!/Salute!/Prosit! *cheen cheen!/saloote!/prozeet!*
Which soft drinks do you have?	Che bibite/analcolici avete? *ke beebeete/analkoleechee avete?*
wine	vino *veeno*
white wine/red wine	vino bianco/vino rosso *veeno beeanko/veeno rosso*
a fruit juice	un succo di frutta *oon sookko dee frootta*
an orange juice	un succo d'arancia *oon sookko darancheea*

A glass of . . .	Un bicchiere di . . .
	oon beekkee-ere dee . . .
. . . beer	. . . birra
	beerra
. . . draught beer	. . . birra alla spina
	beerra alla speena
. . . English beer	. . . birra inglese
	beerra eengleze
. . . German beer	. . . birra tedesca
	beerra tedeska
. . . Italian beer	. . . birra italiana
	beerra eetaleeana
. . . cold beer	. . . birra fresca
	beerra freska
. . . orangeade	. . . aranciata
	arancheeata
. . . lemonade	. . . gassosa
	gassoza

a grapefruit juice	un succo di pompelmo
	oon sookko dee pompelmo
a pineapple juice	un succo di ananas
	oon sookko dee ananas
an aperitif	un aperitivo
	oon apereeteevo
a vermouth	un vermut
	oon vermoot
a Campari with soda	un Campari con seltz
	oon kamparee kon selts
a non-alcoholic bitter aperitif	un bitter analcolico
	oon beetter analkoleeko
coffee	caffè
	kaffe

● There are many kinds of coffee in Italy. If you would like instant, ask for *caffè liofilizzato* (kaffe *leeofeeleedsdsato*).

an espresso coffee	un caffè espresso *oon kaffe espresso*
a very strong black coffee	un caffè ristretto *oon kaffe reestretto*
coffee with milk	caffellatte *kaffellatte*
coffee with a splash of milk	caffè macchiato *kaffe makkeeato*
coffee with a dash of alcohol [eg grappa, rum, whisky]	caffè corretto *kaffe korretto*
coffee similar to filter coffee	caffè lungo *kaffe loongo*
decaffeinated coffee	caffè decaffeinato *kaffe dekaffe-eenato*
tea with milk/lemon	tè al latte/al limone *te al latte/al leemone*
with/without sugar	con/senza zucchero *kon/sentsa dsookkero*
Can I have some sugar?	Ha dello zucchero? *a dello dsookkero?*
hot chocolate	la cioccolata calda *la cheeokkolata kalda*
a glass of water	un bicchiere d'acqua *oon beekkee-ere dakkooa*
still mineral water	acqua minerale naturale *akkoa meenerale natoorale*
sparkling mineral water	acqua minerale frizzante *akkooa meenerale freetstsante*
ice/ice cubes	il ghiaccio/i cubetti di ghiaccio *eel geeachcheeo/ee koobettee* *dee geeachcheeo*

Meals

breakfast	la colazione *la kolatseeone*
lunch	il pranzo *eel prandso*
dinner	la cena *la chena*
snacks	snack/spuntini *snak/spoonteenee*
Is it lunch time?	E' l'ora di pranzo? *e lora dee prandso?*
When is dinner?	Quand'è l'ora di cena? *kooande lora dee chena?*

Breakfast

- Breakfast in Italy is not normally a substantial affair, and many Italians often just grab a coffee and croissant or other pastry in a bar.
- A wide range of pastries are usually available in bars and cafes for breakfast: *fritti* [ring doughnuts], *bombe* [doughnuts], *sfoglie* [Palmiers], *cannoli* [filled with cream] and *bignè* [profiteroles].
- Another common item in Italian breakfasts are *fette biscottate* [French toast].

coffee and a croissant	caffè/cappuccino e una brioche *kaffe/kappoochcheeno e oona breeosh*
pastry [sweet]	una pasta *oona pasta*
pastry [savoury]	una pizzetta *oona peetstsetta*
Could I have a hot pizzetta?	Mi dà una pizzetta riscaldata, per favore? *mee da oona peetstsetta reeskaldata, per favore?*

What pastries do you have?	Che paste ha? *ke paste a?*
a bread roll	un panino *oon paneeno*
Please bring us some rolls	Ci porti dei panini, per piacere *chee portee de-ee paneenee, per peeachere*
jam	la marmellata *la marmellata*
cherry/peach/apricot jam	la marmellata di ciliege/pesche/albicocche *la marmellata dee cheelee-eje/peske/albeekokke*
blackcurrant/raspberry/strawberry jam	la marmellata di ribes/lamponi/fragole *la marmellata dee reebes/lamponee/fragole*
marmalade	la marmellata d'arancia *la marmellata darancheea*
butter	il burro *eel boorro*

Snacks

- You can get a wide variety of snacks in bars, cafes, tavole calde, etc. You normally pay at the cash register and take your receipt [*scontrino*] to the person behind the counter, telling him or her your order.

a filled roll	un panino imbottito *oon paneeno eembotteeto*
a roll with cooked ham	un panino con prosciutto cotto *oon paneeno kon prosheeootto kotto*

39

a roll with raw ham	un panino con prosciutto crudo *oon paneeno kon prosheeootto kroodo*
a roll with tuna fish	un panino con tonno *oon paneeno kon tonno*
a roll with cheese	un panino con formaggio *oon paneeno kon formajjeeo*
a roll with tomato and mozzarella cheese	un panino con pomodoro e mozzarella *oon paneeno kon pomodoro e motstsarella*
a slice of pizza	un fetta di pizza *oona fetta di peetstsa*
a sandwich	un tramezzino *oon trametstseeno*
a toasted sandwich	un to[a]st *oon tost*

Ordering

What's for lunch?	Cosa c'è a pranzo? *koza che a prandso?*
Do you have a menu?	C'è un menù? *che oon menoo?*
What are your specialities?	Quali sono le specialità della casa? *kooalee sono le specheealeeta della kaza?*
What are the dishes of the day?	Quali sono i piatti del giorno? *kooalee sono ee peeattee del jeeorno?*
What are the hors d'oeuvres?	Che antipasti ha? *ke anteepastee a?*
What are the first courses?	Cosa c'è per primo? *koza che per preemo?*
What are the second courses?	Cosa c'è per secondo? *koza che per sekondo?*

May I have some fruit?	Vorrei della frutta *vorre-ee della frootta*
May I have some cheese?	Vorrei del formaggio *vorre-ee del formajjeeo*
I don't eat meat	Non mangio mai carne *non manjeeo maee karne*
I'm a vegetarian	Sono vegetariano/vegetariana *sono vejetareeano/ vejetareeana*
I'm allergic to . . .	Sono allergico/allergica a . . . *sono allerjeeko/allerjeeka a . . .*
Do you have portions for children?	Fate porzioni speciali per bambini? *fate portseeonee specheealee per bambeenee?*
Is the sauce spicy?	La salsa è piccante? *la salsa e peekkante?*
I don't like spicy sauces	Non mi piacciono le salse piccanti *non mee peeachcheeono le salse peekkantee*
There's too much pepper	C'è troppo pepe *che troppo pepe*
grated cheese	il formaggio grattugiato *eel formajjeeo grattoojjeeato*

- There are three types of cheese which are normally grated: *parmigiano reggiano* (Parmesan), *grana* (similar to Parmesan) and *pecorino* (made from ewe's milk).

a drink after the meal	un digestivo *oon deejesteevo*
bread	il pane *eel pane*
breadsticks	i grissini *ee greesseenee*

cutlery	le posate *le pozate*
knife	il coltello *eel koltello*
fork	la forchetta *la forketta*
spoon	il cucchiaio *eel kookkeeaeeo*
tea spoon	il cucchiaino *eel kookkeeaeeno*
plate	il piatto *eel peeatto*
cup	la tazza/la scodella *la tatstsa/la skodella*
coffee cup	la tazzina da caffè *la tatstseena da kaffe*
saucer	il piattino *eel peeatteeno*
napkin	il tovagliolo *eel tovaLYeeolo*

Hors d'oeuvres   Antipasti

- You don't have to start with *antipasto*, but their variety and typical Italian composition make an appetising start to a meal.

raw ham	il prosciutto crudo/la coppa *eel prosheeootto krodo/la koppa*
cooked ham	il prosciutto cotto *eel prosheeootto kotto*
smoked ham	il prosciutto affumicato *eel prosheeootto affoomeekato*
Parma ham	il prosciutto di Parma *eel prosheeootto dee parma*

ham with melon	il prosciutto con melone *eel prosheeootto kon melone*
snails	le lumache *le loomake*
seafood	i frutti di mare *ee froottee dee mare*
mussels/clams	le cozze/le vongole *le kotstse/le vongole*
olives/stuffed olives	le olive/le olive farcite *le oleeve/le oleeve farcheete*
pickled vegetables	i sottaceti/la giardiniera *ee sottachetee/la jeeardeenee- era*

First course   I primi

● This is frequently one of the many pasta based dishes,
  but may be risotto or soup.

clear soup	il brodo/il consommé *eel brodo/eel konsomme*
clear soup [with small pasta]	la minestrina in brodo *la meenestreena een brodo*
vegetable soup	il minestrone *eel meenestrone*
smooth vegetable soup	la crema di verdure *la krema dee verdoore*
chunky vegetable soup	la zuppa di verdure *la dsooppa di verdoore*
lentils/beans/chick peas	le lenticchie/i fagioli/i ceci *le lenteekkee-e/ee fajeeolee/ee chechee*
omelette	l'omelette *lomlet*
omelette with vegetables, cheese, eggs, breadcrumbs etc.	la frittata *la freettata*

43

Main course	*I secondi*
meat	la carne *la karne*
beef/veal	il manzo/il vitello *eel mandso/eel veetello*
pork/suckling pig	il maiale/la porchetta *eel maeeale/la porketta*
lamb/suckling lamb	l'agnello/l'abbacchio *laNYello/labbakkeeo*
kid	il capretto *eel kapretto*
steak	la bistecca/fettina/costata/ scaloppina *la beestekka/fetteena/kostata/ skaloppeena*
well done	ben cotto *ben kotto*
rare	al sangue *al sangooe*
cutlets	le cotolette/costolette *le kotolette/kostolette*
cutlet in breadcrumbs	la cotoletta alla Milanese *la kotoletta alla meelaneze*
chicken	il pollo *eel pollo*
duck/goose	l'anatra/l'oca *lanatra/loka*
turkey	il tacchino *eel takkeeno*
pheasant	il fagiano *eel fajeeano*
rabbit/hare	il coniglio/la lepre *eel koneeLYeeo/la lepre*
horse meat	la carne di cavallo *la karne dee kavallo*

liver	il fegato *eel fegato*
kidneys	i rognoni *ee roNYonee*
sausage	la salsiccia *la salseechcheea*
fish	il pesce *eel peshe*
sardines	le sardine/sardelle *le sardeene/sardelle*
squid	i calamari/le seppie *ee kalamaree/le seppee-e*
octopus	il polpo *eel polpo*
red mullet/grey mullet	la triglia/il muggine *la treeLYeea/il moojjeene*
swordfish/tunny fish	il pesce spada/il tonno *eel peshe spada/eel tonno*
sole	la sogliola *la soLYeeola*
cod/salt cod	il merluzzo/il baccalà *eel merlootstso/eel bakkala*
anchovies	le alici/acciughe *le aleechee/achcheeoo-ge*
lobster/crab	l'aragosta/il granchio *laragosta/eel grankeeo*
prawns	i gamberi/i gamberetti *ee gamberee/ee gamberettee*

Wine   *Vino*

- Italy produces a splendid range of wines, many available only in or close to the area where the grapes are cultivated. The initials DOC and DOCG are indicators of quality wines.

I would like to try ...	Vorrei assaggiare ... *vorre-ee assajjeeare ...*
a white wine	un vino bianco *oon veeno beeanko*
red/rosé	rosso/rosato *rosso/rozato*
sweet	abboccato/amabile *abbokkato/amabeele*
dry	secco *sekko*
a dry white wine	un vino bianco secco *oon veeno beeanko sekko*
sparkling	spumante *spoomante*
slightly sparkling	frizzante *freetstsante*
house wine	il vino della casa *eel veeno della kaza*
Which wine would you recommend?	Che vino mi consiglia? *ke veeno mee konseeL Yeea?*
I prefer red wines	Preferisco i vini rossi *prefereesko ee veenee rossee*
I don't like dry wines	Non mi piacciono i vini secchi *non mee peeachcheeono ee veenee sekkee*
Please bring us ...	Ci porti per favore ... *chee portee per favore ...*
a bottle/carafe of	una bottiglia/una caraffa di *oona botteeL Yeea/oona karaffa dee*
a litre of/half a litre of	un litro di/mezzo litro di *oon leetro dee/medsdso leetro dee*
Is this wine strong?	E' forte questo vino? *e forte kooesto veeno?*

Could I have another bottle?	Me ne porti un'altra bottiglia *me ne portee oonaltra* *botteeLYeea*

Condiments   *I condimenti*

salt and pepper	sale e pepe *sale e pepe*
oil and vinegar	olio e aceto *oleeo e acheto*
olive oil	l'olio d'oliva *loleeo doleeva*
Parmesan	il parmigiano *eel parmeejeeano*

Ice cream   *Gelati*

- Italian ice cream, especially when made on the premises, is delicious and comes in a wide variety of flavours. Pick and mix the flavours [*i gusti*] you like best. *Cassate*, originally from Sicily, are more like ice cream gateaux [*le torte gelato*].

ice cream/ice cream shop	il gelato/la gelateria *eel jelato/la jelatereea*
biscuit ice cream	il semifreddo *eel semeefreddo*
cream	la panna *la panna*
cornet/tub	il cornetto/la coppa *eel kornetto/la koppa*
ice lolly/sorbet	il ghiacciolo/il sorbetto *eel geeachcheeolo/eel sorbetto*
crushed ice drink	la granita *la graneeta*
shake	il frullato/il frappé *eel froollato/eel frappe*
Which flavours do you have?	Che gusti ha? *ke goostee a?*

Complaints

My plate is dirty	Il mio piatto è sporco *eel meeo peeatto e sporko*
My cutlery is dirty	Le mie posate sono sporche *le mee-e pozate sono sporke*
I don't like this table	Questo tavolo non mi piace *kooesto tavolo non mee peeache*
It's too dark/draughty here	Qui c'è troppo buio/troppa corrente *kooee che troppo booeeo/ troppa korrente*
I don't want a table near the entrance	Non voglio un tavolo vicino all'entrata *non voLYeeo oon tavolo veecheeno allentrata*
The service is very slow/bad	Il servizio è lentissimo/ pessimo *eel serveetseeo e lenteesseemo/pesseemo*
How long will the next course be?	Quando arriverà la prossima portata? *kooando arreevera la prosseema portata?*
The food is cold	La roba da mangiare è fredda *la roba da manjeeare e fredda*
It isn't cooked/it's still raw	Non è cotto/è ancora crudo *non e kotto/e ankora kroodo*
We didn't order this	Non abbiamo ordinato questo *non abbeeamo ordeenato kooesto*
There's an error in the bill	C'e uno sbaglio sul conto *che oono zbaLYeeo sool konto*
I refuse to pay for this	Mi rifiuto di pagare questo *mee reefeeooto dee pagare kooesto*

ENTERTAINMENT
AND SPORT

- Italy offers a broad range of entertainment in a typically Italian way. Whether you are interested in sport, or the arts, or folklore, there is so much to see and do.
- In holiday resorts night life tends to be lively. If you are after more traditional forms of entertainment, then you can go to the theatre or opera. Even smallish towns have their own theatre, which is normally a source of civic pride. In summer performances may be in the open air. This also applies to films.
- If you get the chance, spare some time for popular festivals – both religious and secular. They are still an important part of life in Italy today.
- Most churches and cathedrals are open to the public for viewing, except during services. You should obtain permission to take photos and should not enter the church in inappropriate attire.

Cinema

actor/actress	l'attore/l'attrice *lattore/lattreeche*
black and white film	il film in bianco e nero *eel feelm een beeanko e nero*
continuous performance	il programma continuo *eel programma konteenoo-o*
cinema [building]	il cinema *eel cheenema*
director	il regista cinematografico *eel rejeesta cheenematografeeko*
film	il film *eel feelm*
thriller	il thriller *eel treller*
usherette	la maschera *la maskera*
western	il western *eel ooestern*
Coming soon!	Imminente *eemmeenente*
No admission to people younger than 18	Vietato ai minori di 18 anni *vee-etato aee meenoree dee deecheeotto annee*
For children	Per bambini *per bambeenee*
I'd like three tickets	Vorrei tre biglietti *vorre-ee tre beeLYee-ettee*
At what time does the film start?	A che ora comincia il film? *a ke ora komeencheea eel feelm?*
At what time is the last performance?	A che ora comincia l'ultimo spettacolo? *a ke ora komeencheea loolteemo spettakolo?*

How long is the film?	Quanto dura il film? *kooanto doora eel feelm?*
I'd like to sit at the back/front	Vorrei un posto nelle file di dietro/davanti *vorre-ee oon posto nelle feele dee dee-etro/davantee*
Is the cinema air-conditioned?	C'è l'aria condizionata nel cinema? *che lareea kondeetseeonata nel cheenema?*
Do you have reductions for children and OAPs?	Ci sono sconti per i bambini e i pensionati? *chee sono skontee per ee bambeene e ee penseeonatee?*

Theatre

audience	il pubblico *eel poobbleeko*
box-office	il botteghino *eel bottegeeno*
circle	la galleria *la gallereea*
comedian	il comico *eel komeeko*
curtain	il sipario *eel seepareeo*
farse	la farsa *la farsa*
musical	la commedia musicale *la kommedeea moozeekale*
open-air theatre	il teatro all'aperto *eel teatro allaperto*
play	la commedia *la kommedeea*
show	lo spettacolo *lo spettakolo*

51

sold out	tutto esaurito *tootto ezaooreeto*
stage	il palcoscenico *eel palkosheneeko*
stalls	la platea *la platea*
tragedy	la tragedia *la trajedeea*
I'd like to book three seats for the 21st	Vorrei prenotare tre posti per il ventuno *vorre-ee prenotare tre postee per eel ventoono*
I'd like two tickets for the stalls please	Due biglietti di platea per favore *dooe beeLYee-ettee dee platea per favore*
Do we have to buy the tickets in advance?	Dobbiamo fare i biglietti in anticipo? *dobbeeamo fare ee beeLYee-ettee een anteecheepo?*

Folklore

celebration	il festeggiamento *eel festejjeeamento*
folk dance	l'antico ballo popolare *lanteeko ballo popolare*
folk song	il canto popolare *eel kanto popolare*
patron saint of a town	il santo patrono della città *eel santo patrono della cheetta*
patron saint festival	la festa patronale *la festa patronale*
procession	la processione *la prochesseeone*
country festival	la festa campestre *la festa kampestre*

traditional regional costumes	i costumi regionali tradizionali *ee kostoomee rejeeonalee tradeetseeonalee*
village festival	la sagra del paese *la sagra del paeze*
village square	la piazza del paese *la peeatsta del paeze*
When is the next patron saint celebration of this village?	Quando sarà la prossima festa patronale di questo paese? *kooando sara la prosseema festa patronale dee kooesto paeze?*
I'd like to listen to some local folk music	Vorrei ascoltare della musica tradizionale *vorre-ee askoltare della moozeeka tradeetseeonale*
Are there any local handicraft shops?	Ci sono dei negozi di artigianato locale? *chee sono de-ee negotsee dee arteejeeanato lokale?*

Monuments and buildings

amphitheatre	l'anfiteatro *lanfeeteatro*
archaeological remains/ excavations	i resti archeologici/gli scavi archeologici *ee restee arkeolojeechee/LYee skavee arkeolojeechee*
castle	il castello *eel kastello*
cathedral	la cattedrale/il duomo *la kattedrale/eel doo-omo*
cemetery	il cimitero/il camposanto *eel cheemeetero/eel kamposanto*

church	la chiesa *la kee-eza*
city walls	le mura della città *le moora della cheetta*
fortress	la fortezza *la fortetstsa*
old town centre	il centro storico *eel chentro storeeko*
monument	il monumento *eel monoomento*
ruins	i ruderi *ee rooderee*
sculpture	la scultura *la skooltoora*
statue	la statua *la statooa*
When was this church built?	A quando risale la costruzione di questa chiesa? *a kooando reesale la kostrootseeone dee kooesta kee-eza?*
What does that monument commemorate?	Che cosa commemora quel monumento? *ke koza kommemora kooel monoomento?*
Could you tell me the way to the Roman ruins and temple?	Sa dirmi come arrivare ai ruderi e al tempio romani? *sa deermee kome arreevare aee rooderee e al tempeeo romanee?*
I'd like to buy a map of the old town	Vorrei comprare una cartina del centro storico *vorre-ee komprare oona karteena del chentro storeeko*
Are cars excluded from the town centre?	Le macchine hanno l'accesso in centro? *le makkeene anno lachchesso een chentro?*

Museums and galleries

exhibition	la mostra/l'esposizione *la mostra/lespozeetseeone*
museum of archaeology	il museo archeologico *eel moozeo arkeolojeeko*
museum of modern art	il museo d'arte moderna *eel moozeo darte moderna*
painter/painting	il pittore/la pittura, il dipinto *eel peettore/la peettoora, eel deepeento*
picture/picture gallery	il quadro/la pinacoteca *eel kooadro/la peenakoteka*
portrait	il ritratto *eel reetratto*
still-life	la natura morta *la natoora morta*
How much is the entrance fee to the museum?	Quanto costa il biglietto d'ingresso al museo? *kooanto kosta eel beeLYee-etto deengresso al moozeo?*
Is it free for children?	L'ingresso è gratis per i bambini? *leengresso e gratees per ee bambeenee?*
Is this museum open every day?	Questo museo è aperto tutti i giorni? *kooesto moozeo e aperto toottee ee jeeornee?*
Is the picture gallery open at lunch time?	La pinacoteca è aperta all'ora di pranzo? *la peenakoteka e aperta allora dee prandso?*
I'd like to see some archaeological exhibits	Vorrei vedere dei reperti archeologici *vorre-ee vedere de-ee repertee arkeolojeechee*

Music

ballet	il balletto *eel balletto*
band	la banda/l'orchestrina *la banda/lorkestreena*
chamber music	la musica da camera *la moozeeka da kamera*
classical music	la musica classica *la moozeeka klasseeka*
composer	il compositore *eel kompozeetore*
conductor	il direttore d'orchestra *eel deerettore dorkestra*
concert/concert hall	il concerto/la sala dei concerti *eel koncherto/la sala de-ee konchertee*
musical instruments	gli strumenti musicali *LYee stroomentee moozeekalee*
musical season	la stagione musicale *la stajeeone moozeekale*
open-air concert	il concerto all'aperto *eel koncherto allaperto*
opera	l'opera/la lirica *lopera/la leereeka*
orchestra	l'orchestra *lorkestra*
pop group	il complesso pop/il complesso rock *eek komplesso pop/eel komplesso rok*
pop music	la musica leggera/la musica pop *la moozeeka lejjera/la moozeeka pop*

record/cassette/CD	il disco/la cassetta/il CD *eel deesko/la kassetta/eel chee dee*
record/cassette/CD player	il giradischi/il mangiacassette/ il lettore di CD *eel jeeradeeskee/eel manjeeakassette/eel lettore dee chee dee*
singer/to sing	il cantante/cantare *eel kantante/kantare*
soloist/choir	il solista/il coro *eel soleesta/eel koro*
soprano/tenor/baritone	il soprano/il tenore/il baritono *eel soprano/eel tenore/eel bareetono*
symphony	la sinfonia *la seenfoneea*
What's on tonight at the Conservatory?	Cosa c'è in programma al Conservatorio stasera? *koza che een programma al konservatoreeo stasera?*
Who is the conductor?	Chi dirige l'orchestra? *kee deereeje lorkestra?*
Where can I find some information on summer concerts?	Dove posso trovare delle informazioni sui concerti di quest'estate? *dove posso trovare delle eenformatseeonee sooee konchertee dee kooestestate?*
Will there be many open-air concerts?	Ci saranno molti concerti all'aperto? *chee saranno moltee konchertee allaperto?*
Where can I find a record shop?	Dove trovo un negozio di dischi? *dove trovo oon negotseeo dee deeskee?*

Nightlife

to dance	ballare *ballare*
dinner dance	la serata danzante *la serata dantsante*
discotheque	la discoteca *la deeskoteka*
nightclub	il nightclub/il locale notturno *eel naeetklab/eel lokale nottoorno*
How much is the entrance fee for two?	Quanto costa per due? *kooanto kosta per dooe?*
Are drinks included/ excluded?	Le bibite sono incluse/ escluse? *le beebeete sono eenklooze/ esklooze?*
Who's singing tonight?	Che cantante c'è stanotte? *ke kantante che stanotte?*
At what time will the club close tonight?	A che ora si chiude stanotte il nightclub? *a ke ora see keeoode stanotte eel naeetklab?*

Radio and television

- In Italy the state television RAI – Radiotelevisione Italiana has three channels. There are many private radio and television stations as well as regional networks.

cartoons	i cartoni animati *ee kartonee aneematee*
current affairs	l'attualità *lattooaleeta*
documentary	il documentario *eel dokoomentareeo*
film made for television	il telefilm *eel telefeelm*

news	le notizie *le noteetsee-e*
programme	il programma *eel programma*
private radio/TV station	la radio privata/la TV privata *la radeeo preevata/la teevoo preevata*
radio news	il giornale radio/il notiziario *eel jeeornale radeeo/eel noteetseeareeo*
show	lo spettacolo *lo spettakolo*
soap opera	il teleromanzo/la telenovela *eel teleromandso/la telenovela*
state radio/TV	la radio di stato/la TV di stato *la radeeo dee stato/la teevoo dee stato*
subtitles	le didascalie *le deedaskalee-e*
weather forecast	le previsioni del tempo *le preveezeeonee del tempo*
I'd like to watch the television news	Vorrei vedere il telegiornale *vorre-ee vedere eel telejeeornale*
Which is the best private TV station?	Qual'è la migliore TV privata? *kooale la meeLYeeore teevoo preevata?*
Are there any English programmes?	Ci sono dei programmi in inglese? *chee sono de-ee programmee een eengleze?*
Has that programme got English subtitles?	Quel programma ha le didascalie in inglese? *kooel programma a le deedaskalee-e een eengleze?*

Reading

- In Italy there are several daily papers, both independent and party ones, some sport and many regional daily papers. The number of weekly, fortnightly and monthly publications is endless and covers every interest, from current affairs, politics and gossip, to business, marketing and computer studies.
- Books can be purchased in bookshops, at stationers' and newsagents' kiosks.

book/bookshop	il libro/la libreria *eel leebro/la leebrereea*
comic	il fumetto *eel foometto*
detective novel	il romanzo giallo/il romanzo poliziesco *eel romandso jeeallo/eel romandso poleetsee-esko*
dictionary	il dizionario/il vocabolario *eel deetseeonareeo/eel vokabolareeo*
fiction	la novellistica *la novelleesteeka*
library	la biblioteca *la beebleeoteka*
magazine	la rivista/il rotocalco *la reeveesta/eel rotokalko*
newsagent	l'edicola/il chiosco *ledeekola/eel keeosko*
newspaper	il giornale/il quotidiano *eel jeeornale/eel koo-oteedeeano*
novel	il romanzo *eel romandso*
romance	il romanzo rosa *eel romandso roza*

poetry/poem	la poesia *la poezeea*
writer	lo scrittore/la scrittrice *lo skreettore/la skreettreeche*
I'd like a copy of today's sports paper	Un quotidiano sportivo di oggi per favore *oon koo-oteedeeano sporteevo dee ojjee per favore*
Is this the latest edition of this book?	Questa è l'ultima edizione di questo libro? *kooesta e loolteema edeetseeone dee kooesto leebro?*
Where are the English books?	Dove sono i libri in inglese? *dove sono ee leebree een eengleze?*
Do you have any English newspapers?	Vende dei giornali inglesi? *vende de-ee jeeornalee eenglezee?*
Where can I purchase an English newspaper?	Dove posso comprare un giornale inglese? *dove posso komprare oon jeeornale eengleze?*

Relaxation, rest and hobbies

- Everywhere in Italy, young people go out late in the afternoon and walk with their friends along the main street for *la passeggiata*.

holidays/vacation	le vacanze/la villeggiatura *le vakantse/la veellejjeeatoora*
holiday resort	il luogo di villeggiatura *eel loo-ogo dee veellejjeeatoora*
Where do young people meet for the local passeggiata?	Dove s'incontrano i giovani per la passeggiata? *dove seenkontrano ee jeeovanee per la passejjeeata?*

summer/winter holidays	la villeggiatura estiva/invernale *la veellejjeeatoora esteeva/eenvernale*
aerobics/to do aerobics	l'aerobica/fare l'aerobica *laerobeeka/fare laerobeeka*
fishing/to go fishing	la pesca/andare a pescare *la peska/andare a peskare*
I'd like to go to the beach	Vorrei andare alla spiaggia/al mare *vorre-ee andare alla speeajjeea/al mare*
I have a rest/relax/sleep	Mi riposo/mi rilasso/dormo *mee reepozo/mee reelasso/dormo*
jogging	il footing/il jogging *eel footeen/eel joggeen*
mountain climbing	l'alpinismo *lalpeeneezmo*
ornithology	l'ornitologia *lorneetolojeea*
photography	la fotografia *la fotografeea*
I play cards/draughts/chess	Gioco a carte/a dama/a scacchi *jeeoko a karte/a dama/a skakkee*
I play the guitar/piano/violin	Suono la chitarra/il piano/il violino *soo-ono la keetarra/eel peeano/eel veeoleeno*
stamp collecting	la filatelia *la feelateleea*
Is there a gym nearby?	C'è una palestra qua vicino? *che oona palestra kooa veecheeno?*
hobby	l'hobby/il passatempo *lobbee/eel passatempo*

Sightseeing

● See also section on Group Travel in **Travel**

day-trip	la gita *la jeeta*
guide-book	la guida *la gooeeda*
itinerary	l'itinerario *leeteenerareeo*
tour	il giro turistico *eel jeero tooreesteeko*
tourist	il turista *eel tooreesta*
tourist information centre	il centro informazioni turismo *eel chentro eenformatseeonee tooreezmo*
When is the tour starting?	Quando comincia il giro turistico? *kooando komeencheea eel jeero tooreesteeko?*
Can we have a packed lunch there?	Potremo mangiare al sacco lì? *potremo manjeeare al sakko lee?*

Sport

athletics	l'atletica leggera *latleteeka lejjera*
basketball	la pallacanestro/il basket *la pallakanestro/eel basket*
boxing	il pugilato/la boxe *eel poojeelato/la box*
championship	il campionato *eel kampeeonato*
cup/trophy	la coppa/il trofeo *la koppa/eel trofeo*

63

match	la partita/l'incontro
	la parteeta/leenkontro
motor-racing track	l'autodromo
	laootodromo
player	il giocatore
	eel jeeokatore
race-course [for horses]	l'ippodromo
	leeppodromo
referee	l'arbitro
	larbeetro
sports arena	il palazzetto dello sport
	eel palatstsetto dello sport
stadium	lo stadio
	lo stadeeo
team	la squadra
	la skooadra
How much is the admission ticket?	Quanto costa il biglietto di ingresso?
	kooanto kosta eel beeLYee-etto dee eengresso?
Where can I buy two tickets for tonight's match?	Dove posso acquistare due biglietti per la partita di stasera?
	dove posso akooeestare dooe beeLYee-ettee per la parteeta dee stasera?
Which teams are playing tomorrow at the stadium?	Che squadre giocano domani allo stadio?
	ke skooadre jeeokano domanee allo stadeeo?
Who won last year's championship?	Chi ha vinto il campionato dell'anno scorso?
	kee a veento eel kampeeonato dellanno skorso?
I support my local team	Faccio il tifo per la mia squadra locale
	fachcheeo eel teefo per la meea skooadra lokale

HEALTH

- Italy offers many opportunities for staying, or getting, fit and healthy. The dietary benefits of Italian food and cooking are now widely recognized. The climate and landscape encourage a range of physical activities from swimming to mountaineering, or even just sightseeing. Whatever you choose to do, do not overdo the sun.
- As both Italy and Great Britain are members of the EEC, visitors can benefit from the health services available to Italians. Form E111 and further information can be obtained from offices of the Department of Health.

My ... hurts

Mi fa male ...
mee fa male ...

I can't move my ...

Non posso muovere ...
non posso moo-overe ...

The human body

back	la schiena *la skee-ena*
chest	il petto *eel petto*
ear	l'orecchio *lorekkeeo*
eye	l'occhio *lokkeeo*
face	la faccia/il viso *la fachcheea/eel veezo*
finger	il dito della mano *eel deeto della mano*
hand	la mano *la mano*
foot	il piede *eel pee-ede*
head	la testa/il capo *la testa/eel kapo*
heart	il cuore *eel koo-ore*
leg	la gamba *la gamba*
lungs	i polmoni *ee polmonee*
knee	il ginocchio *eel jeenokkeeo*
mouth	la bocca *la bokka*
neck	il collo *eel kollo*
shoulder	la spalla *la spalla*
stomach	lo stomaco *lo stomako*

At the doctor's

doctor's surgery	l'ambulatorio *lamboolatoreeo*
Excuse me, is there a surgery nearby?	Scusi, c'è un ambulatorio qui vicino? *skoozee che oon amboolatoreeo kooee veecheeno*
Could you call a doctor, please?	Può chiamare il medico per favore? *poo-o keeamare eel medeeko per favore?*
I feel ill	Mi sento male/non mi sento bene *mee sento male/non mee sento bene*
I have been feeling ill for several days	Sto male da parecchi giorni *sto male da parekkee jeeornee*
I've had a temperature for two days	Ho la febbre da due giorni *o la febbre da dooe jeeornee*
Is my prescription ready?	La mia ricetta è pronta? *la meea reechetta e pronta?*
My throat is burning	Mi brucia la gola *mee broocheea la gola*
I've had diarrhoea and nausea all night	Ho avuto la diarrea e la nausea tutta la notte *o avooto la deearrea e la naoozea tootta la notte*
I have been sick several times	Ho vomitato varie volte *o vomeetato varee-e volte*
I have a migraine	Ho l'emicrania *o lemeekraneea*
I am allergic to penicillin	Sono allergico alla penicillina *sono allerjeeko alla peneechelleena*
I have diabetes/hemophilia	Ho il diabete/l'emofilia *o eel deeabete/lemofeeleea*

67

I'm HIV positive	Sono sieropositivo *sono see-eropozeeteevo*
I have asthma	Sono asmatico *sono azmateeko*
I've sprained my wrist/ankle	Mi sono slogata il polso/la caviglia *mee sono zlogata eel polso/la kaveeLYeea*

I have a . . .	Ho mal . . . *o mal . . .*
. . . headache	. . . di testa *dee testa*
. . . earache	. . . d'orecchio *dorekkeeo*
. . . stomach ache	. . . di stomaco *dee stomako*

You may hear:

Si spogli per favore *see spoLYee per favore*	Could you undress, please?
Apra la bocca *apra la bokka*	Open your mouth, please
Tossisca *tosseeska*	Cough, please
Respiri profondamente *respeeree profondamente*	Take a deep breath
Le fa male qui? *le fa male kooee?*	Does it hurt here?
Dove le fa male? *dove le fa male?*	Where does it hurt?
E' bene che lei faccia delle analisi *e bene ke le-ee fachcheea delle analeezee*	You should have some tests

Paying

How much do I owe you?	Quanto le devo? *kooanto le devo?*
Is your fee paid by my insurance?	La sua parcella è pagata dalla mia assicurazione? *la sooa parchella e pagata dalla meea asseekooratseeone?*
Could you give me a receipt for my insurance?	Mi dà una ricevuta per l'assicurazione? *mee da oona reechevoota per lasseekooratseeone?*

Ailments

AIDS	l'AIDS *la ee-dee-esse*
cancer	il cancro *eel kankro*
cold/cough	il raffreddore/la tosse *eel raffreddore/la tosse*
I have a very heavy cold	sono costipato *sono kosteepato*
constipation/I am constipated	la stitichezza/sono stitico *la steeteeketstsa/sono steeteeko*
diabetes	il diabete *eel deeabete*
diarrhoea	la diarrea *la deearrea*
dizzy spells	i capogiri/le vertigini *ee kapojeeree/le verteejeenee*
I have food poisoning	ho l'intossicazione *o leentosseekatseeone*
heart attack	l'infarto/il collasso cardiaco *leenfarto/eel kollasso kardeeako*

69

high/low blood pressure	la pressione alta/bassa *la presseeone alta/bassa*
bite	la puntura/il pizzico *la poontoora/eel peetstseeko*
I've been stung by a wasp	Mi ha punto una vespa *mee a poonto oona vespa*
burn	l'ustione/la scottatura/la bruciatura *loosteeone/la skottatoora/la broocheeatoora*
sunstroke	l'insolazione *leensolatseeone*
cut	il taglio/la ferita *eel taLYeeo/la fereeta*

For women

period	la mestruazione *la mestrooatseeone*
I have period pains	Soffro di mestruazioni dolorose *soffro dee mestrooatseeonee doloroze*
the Pill	la pillola anticoncezionale *la peellola anteekonchetseeonale*
I'm pregnant	sono incinta/aspetto un bambino *sono eencheenta/aspetto oon bambeeno*
I have lost the pills I normally take	Ho perso le pastiglie che prendo di solito *o perso le pasteeLYee-e ke prendo dee soleeto*
I have morning sickness	Ho la nausea *o la naoozea*
My baby is due in six weeks' time	Il bambino dovrebbe nascere fra sei settimane *eel bambeeno dovrebbe nashere fra se-ee setteemane*

At the chemist's

chemist's	la farmacia *la farmacheea*
prescription/prescription charge	la ricetta/il ticket *la reechetta/eel teeket*
aspirin	l'aspirina *laspeereena*
antibiotic	l'antibiotico *lanteebeeoteeko*
condoms	i profilattici/i preservativi *ee profeelatteechee/ee prezervateevee*
contraceptives	gli antifecondativi *LYee anteefekondateevee*
cough mixture	lo sciroppo contro la tosse *lo sheeroppo kontro la tosse*
pain killer	il calmante/l'analgesico *eel kalmante/lanaljezeeko*
How much is the prescription charge?	Quanto costa il ticket? *kooanto kosta eel teeket?*
Could I have some throat lozenges?	Vorrei delle pastiglie per la gola? *vorre-ee delle pasteeLYee-e per la gola*
Can you recommend some tablets for an upset stomach?	Può darmi delle compresse per il mal di stomaco? *poo-o darmee delle kompresse per eel mal dee stomako?*
To be taken three times a day with meals	Da prendersi tre volte al giorno con i pasti *da prendersee tre volte al jeeorno kon ee pastee*
To be taken after meals	Da prendersi dopo i pasti *da prendersee dopo ee pastee*
Not to be taken with alcohol	Da non prendersi con bevande alcoliche *da non prendersee kon bevande alkoleeke*

At the dentist's

dentist	il dentista *eel denteesta*
tooth/toothache/tooth decay	il dente/il mal di denti/la carie *eel dente/eel mal dee dentee/la karee-e*
I have toothache	Ho mal di denti *o mal dee dentee*
My denture is broken	La mia dentiera è rotta *la meea dentee-era e rotta*
I'm going to have a tooth filled	Devo farmi otturare un dente *devo farmee ottoorare oon dente*
Do you have to pull this tooth out?	Deve proprio estrarre questo dente? *deve propreeo estrarre kooesto dente?*

At the optician

- In Italy the *Oculista* carries out the eye test and gives the patient a prescription. The *Ottico* sells frames and lenses and fits the glasses according to the prescription.

optician	l'oculista/l'ottico *lokooleesta/lotteeko*
contact lenses	le lenti a contatto/le lenti corneali *le lentee a kontatto/le lentee kornealee*
frame/spectacles	la montatura/gli occhiali *la montatoora/LYee okkeealee*
I am longsighted/shortsighted	Sono presbite/miope *sono prezbeete/meeope*
My spectacles are broken	I miei occhiali sono rotti *ee mee-e-ee okkeealee sono rottee*

TRAVEL

- There's so much to see in Italy that you will need to get around if you want to make the most of your stay. Italy has one of the best motorway networks in Europe as well as an extensive system of public transport.
- Buses and trains are relatively inexpensive. In cities remember to buy your ticket [available from tobacconists and newsagents] before getting on the bus or tram. In most big towns the same tickets are used on all public transport and a ticket normally allows unlimited travel in a city for up to two hours.
- You can buy single [*biglietto per una corsa*] and multiple tickets [*biglietto per sei/dodici corse*] which are then punched by the machines on buses, trams, etc.
- Italian trains are not always punctual and often very crowded, so it is a good idea to reserve a seat.

Public transport

bus	l'autobus *laootoboos*
coach	il pullman *eel poollman*
tram	il tram *eel tram*
trolley bus	il filobus *eel feeloboos*
train	il treno *eel treno*
commuter train	il treno dei pendolari *eel treno de-ee pendolaree*
local train	il treno locale *eel treno lokale*
long distance train [stopping at all the major stations]	il diretto *eel deeretto*
express train [with fewer stops than the *diretto*]	l'espresso/il direttissimo *lespresso/eel deeretteesseemo*

- The fastest expresses are called *rapidi*. For these you normally have to book in advance and pay a supplement [*supplemento*]. Many have only first class seats.
- There are also international expresses, *TEEs*.

first/second class	prima/seconda classe *preema/sekonda klasse*
carriage	la carrozza/il vagone *la karrotstsa/eel vagone*
railway station	la stazione ferroviaria *la statseeone ferroveeareea*
restaurant car	la carrozza ristorante *la karrotstsa reestorante*
From which platform does it leave?	Da che binario parte? *da ke beenareeo parte?*

Buses and coaches

bus/tram/trolleybus stop	la fermata dell'autobus/tram/filobus
	la fermata dellaootoboos/tram/feeloboos
bus/tram terminus	il capolinea
	eel kapoleenea
Where do the buses/coaches/trams for . . . leave from?	Da dove partono gli autobus/i pullman/i tram per . . . ?
	da dove partono LYee aootoboos/ee poollman/ee tram per . . . ?
Do the coaches have toilets/air conditioning?	Sulle corriere ci sono i bagni/c'è l'aria condizionata?
	soolle korree-ere chee sono ee baNYee/che lareea kondeetseeonata?
At what time do coaches leave for . . . ?	A che ora partono i pullman per . . . ?
	a ke ora partono ee poollman per . . . ?
Can I reserve a seat/seats?	Posso prenotare un posto/dei posti?
	posso prenotare oon posto/de-ee postee?
How long is the journey to . . . ?	Quanto si impiega ad arrivare a . . . ?
	kooanto see eempee-ega ad arreevare a . . . ?
Where does the coach stop?	Dove si ferma il pullman?
	dove see ferma eel poolman?
At what time does the coach return from . . . ?	A che ora il pullman ritorna da . . . ?
	a ke ora eel poollman reetorna da . . . ?
Where's the bus stop?	Dov'è la fermata dell'autobus?
	dove la fermata dellaootoboos?

Buying a ticket

Where's the ticket office?	Dov'è la biglietteria? *dove la beeLYee-ettereea?*
Where's the ticket machine?	Dov'è la biglietteria automatica? *dove la beeLYee-ettereea aootomateeka?*
Where can you buy tickets for the bus?	Dove si comprano i biglietti per l'autobus? *dove see komprano ee beeLYee-ettee per laootoboos?*
Do you sell tickets for the bus?	Vende biglietti per l'autobus? *vende beeLYee-ettee per laootoboos?*
I'd like a ticket for six journeys	Un biglietto per sei corse per favore *oon beeLYee-etto per se-ee korse per favore*
How much is a ticket?	Quanto costa un biglietto? *kooanto kosta oon beeLYee-etto?*
A ticket to . . . please	Un biglietto per . . . , per piacere *oon beeLYee-etto per . . . per peeachere*
Two tickets to . . . please	Due biglietti per . . . , per piacere *dooe beeLYee-ettee per . . . per peeachere*
A single ticket for . . .	Un biglietto di sola andata per . . . *oon beeLYee-etto dee sola andata per . . .*
A return ticket	Un biglietto di andata e ritorno *oon beeLYee-etto dee andata e reetorno*

sleeper	il vagone letto *eel vagone letto*
I am travelling tomorrow/the day after tomorrow/the 8th August	Parto domani/dopodomani/ l'otto agosto *parto domanee/ dopodomanee/lotto agosto*
Can I break my journey at . . . ?	E' possibile interrompere il viaggio a . . . ? *e posseebeele eenterrompere eel veeajjeeo a . . . ?*
Can I go direct to . . . ?	Si può andare direttamente a . . . ? *see poo-o andare deerettamente a . . . ?*
How long do I have to wait for a connection to . . . ?	Quanto dovrò aspettare la coincidenza per . . . ? *kooanto dovro aspettare la koeencheedentsa per . . . ?*
Could I have a train timetable?	Mi dà un orario dei treni per favore? *mee da oon orareeo de-ee trenee per favore?*
How long is this ticket valid for?	Per quanto tempo è valido questo biglietto? *per kooanto tempo e valeedo kooesto beeLYee-etto?*
Can I walk there?	Ci si arriva a piedi? *chee see arreeva a pee-edee?*
Do I have to get a bus?	Devo prendere l'autobus? *devo prendere laootoboos?*
Which number?/Which route?	Che numero prendo?/Che linea? *kee noomero prendo?/ke leenea?*
Where's the nearest bus stop?	Dov'è la fermata d'autobus più vicina? *dove la fermata daootoboos peeoo veecheena?*

77

By car

- If you do not have one of the new EEC licences, your driving licence must be accompanied by a translation (obtainable free of charge from the AA, RAC, ENIT (Italian Tourist Office) or ACI (Italian Automobile Association)).
- You are also advised to obtain a Green Card to make sure that you have comprehensive insurance.

You may see:

Dare la precedenza	Give way
Divieto d'accesso	No entry
Zona pedonale	Pedestrian precinct
Senso unico	One way street
Divieto di sorpasso	No overtaking
Limite di velocità	Speed limit
Evitare i rumori molesti	Do not use car horn

How do I get to ... ?	Come si arriva a ... ? *kome see arreeva a ... ?*
Can you give me some directions to ... ?	Mi sa dire come arrivare a ... ? *mee sa deere kome arreevare a ... ?*
right	destra *destra*
left	sinistra *seeneestra*
straight on	sempre diritto *sempre deereetto*
Do I turn right?	Giro a destra? *jeero a destra?*
North/East/South/West	Nord/Est/Sud/Ovest *nord/est/sood/ovest*

city policeman/policewoman	il vigile/la vigilessa *eel veejeele/la veejeelessa*
crossroad/junction	l'incrocio *leenkrocheeo*
direction indicator	la freccia direzionale *la frechcheea deeretseeonale*
fork [in road]	il bivio *eel beeveeo*
lane [of road]	la corsia *la korseea*
pavement	il marciapiedi *eel marcheeapee-edee*
pedestrian	il pedone *eel pedone*
policeman	il poliziotto *eel poleetseeotto*
ring road	la circonvallazione *la cheerkonvallatseeone*
by-pass	lo svincolo *lo zveenkolo*
road/street	la strada *la strada*
road open to heavy traffic	la strada camionabile *la strada kameeonabeele*
road sign	il cartello/il segnale stradale *eel kartello/eel seNYale stradale*
traffic jam	l'ingorgo *leengorgo*
traffic lights (red/amber/green)	il semaforo (rosso/giallo/verde) *eel semaforo (rosso/jeeallo/verde)*
zebra crossing	il passaggio pedonale *eel passajjeeo pedonale*
Is there a lot of traffic?	C'è tanto traffico? *che tanto traffeeko?*

Problems and questions

- If you are stopped by the police following an infringement you will be asked *Favorisca i documenti*.
- *I documenti* are: driving licence, insurance and car ownership papers.

I didn't see the STOP sign	Non avevo visto lo STOP *non avevo veesto lo stop*
I hadn't realised my tyres were bald	Non sapevo che le gomme fossero liscie *non sapevo ke le gomme fossero leeshee-e*
I didn't notice the *one way* sign	Non ho visto il *senso unico* *non o veesto eel senso ooneeko*
What is the speed limit here?	Qual'è il limite di velocità qui? *kooale eel leemeete dee velocheeta kooee?*
I didn't know parking was not allowed	Non sapevo che non si potesse parcheggiare *non sapevo ke non see potesse parkejjeeare*
fine	la multa/la contravvenzione *la moolta/la kontravventseeone*
Do I have to pay a fine?	Devo pagare la multa? *devo pagare la moolta?*

Parking

No parking	Sosta vietata *sosta vee-etata*
car park	il parcheggio *eel parkejjeeo*
parking disc	il disco orario *eel deesko orareeo*

disc car park	il parcheggio a disco orario *eel parkejjeeo a deesko orareeo*
parking meter	il parchimetro *eel parkeemetro*
supervised car park	il parcheggio custodito *eel parkejjeeo koostodeeto*
Is there a car park nearby?	C'è un parcheggio qui vicino? *che oon parkejjeeo kooee veecheeno?*

Motorways and major roads

● On Italian motorways, tolls are charged in most cases. On entering the motorway the driver obtains a ticket which is surrendered at the exit gate where the toll is calculated and paid. The charge is based on the kilometres covered and on the capacity of the vehicle. Payment can be in cash or by *Viacard*, similar to a phone card, available from stationers and shops displaying the *Viacard* sign on the door. On some sections of motorway a flat toll is charged and this is payable on entry.

'A' road	la statale [SS on maps] *la statale*
'B' road	la provinciale *la proveencheeale*
carriageway	la carreggiata *la karrejjeeata*
dual carriageway	la superstrada *la sooperstrada*
motorway	l'autostrada *laootostrada*
motorway emergency lane	la corsia d'emergenza dell'autostrada *la korseea demerjentsa dellaootostrada*

motorway exit	il raccordo d'uscita *eel rakkordo doosheeta*
service area	l'area di servizio *larea dee serveetseeo*
toll gate	il casello *eel kazello*
toll motorway	autostrada a pedaggio/a pagamento *aootostrada a pedajjeeo/a pagamento*
toll-free motorway	autostrada libera *aootostrada leebera*
How much is it from . . . to . . . ?	Quanto costa da . . . a . . . ? *kooanto kosta da . . . a . . . ?*
Where can I get on the motorway?	Dov'e il raccordo d'entrata? *dove eel rakkordo dentrata?*
Where's the next exit?	Dov'è la prossima uscita? *dove la prosseema oosheeta?*

You may see:

Veicoli lenti	Slow moving vehicles
Solo sorpasso	Overtaking only lane
Marcia normale	Normal speed lane
Sosta di emergenza	Emergency lane
Divieto di sorpasso	No overtaking

Where can I call the assistance service?	Da dove si chiama il soccorso stradale? *da dove see keeama eel sokkorso stradale?*
petrol station	il rifornitore/il benzinaio *eel reeforneetore/eel bendseenaeeo*
banknote-operated petrol dispenser	il distributore automatico *eel deestreebootore aootomateeko*

- Petrol in Italy is sold in litres. For gallon/litre conversion see page 132. Petrol is sold in two grades: *super* (four star) and *normale* (two star). Payment is normally in cash as credit cards are not accepted at petrol stations.

petrol	la benzina/il carburante *la bendseena/eel karboorante*
diesel	il gasolio/il diesel *eel gazoleeo/eel deezel*
unleaded petrol	la benzina senza piombo *la bendseena sentsa peeombo*
Fill her up!	Mi faccia il pieno! *mee fachcheea eel pee-eno!*
Could I have 30,000 liras' worth of four-star?	Trentamila lire di benzina super, per favore *trentameela leere dee bendseena sooper, per favore*
Could you check the oil/the tyres?	Dà una controllata all'olio/alle gomme? *da oona kontrollata alloleeo/alle gomme?*
Could you give the windscreen a wash?	Mi pulisce il parabrezza? *mee pooleeshe eel parabretstsa?*
Which petrol stations are open?	Quali sono i distributori di turno? *kooalee sono ee deestreebootoree dee toorno?*

Breakdown

- To obtain help in case of breakdown, dial 116.
- A red reflector triangle [*il triangolo*] must be displayed in case of breakdown to warn other drivers of one's presence.

My car has broken down	La mia auto è guasta/è in panne *la meea aooto e gooasta/e een panne*

accelerator	l'acceleratore *lachcheleratore*
brake/hand-brake	il freno/il freno a mano *eel freno/eel freno a mano*
car window	il finestrino *eel feenestreeno*
clutch	la frizione *la freetseeone*
gearbox	il cambio *eel kambeeo*
fog lamps	i fari antinebbia *ee faree anteenebbeea*
full-beam headlights	gli abbaglianti *LYee abbaLYeeantee*
dipped headlights	gli anabbaglianti *LYee anabbaLYeeantee*
horn	il clacson *eel klakson*
jack	il cric *eel kreek*
radiator	il radiatore *eel radeeatore*
rear-view mirror	lo specchietto retrovisore *lo spekkee-etto retroveezore*
steering wheel	il volante *eel volante*
suspension	la sospensione *la sospenseeone*
spare tyre	la ruota di scorta *la roo-ota dee skorta*
windscreen	il parabrezza *eel parabretstsa*
windscreen wiper	il tergicristallo *eel terjeekreestallo*

air/oil filter	il filtro dell'aria/dell'olio *eel feeltro dellareea/delloleeo*
carburettor	il carburatore *eel karbooratore*
fan belt	la cinghia del ventilatore *la cheengeea del venteelatore*
exhaust pipe	la marmitta *la marmeetta*
spark plugs	le candele *le kandele*
starter motor	lo starter *lo starter*
I've got a puncture	Ho una gomma a terra *o oona gomma a terra*
The headlights aren't working	I fari non funzionano *ee faree non foontseeonano*
The battery is flat	La batteria è scarica *la battereea e skareeka*
Is there a garage nearby?	C'è un'officina qui vicino? *che oonoffeecheena kooee veecheeno?*
Could you have a look at my car?	Può vedere cosa c'è che non va nella mia macchina? *poo-o vedere koza che ke non va nella meea makkeena?*
Could you repair the fault?	E' riuscito a riparare il guasto? *e reeoosheeto a reeparare eel gooasto?*
Is it serious?	E' una cosa grave? *e oona koza grave?*
Will you order the spare parts?	Deve ordinare i pezzi di ricambio? *deve ordeenare ee petstsee dee reekambeeo?*
When will my car be ready?	Quando sarà pronta la mia macchina? *kooando sara pronta la meea makkeena?*

Car hire

car hire	l'autonoleggio *laootonolejjeeo*
I would like to hire a car	Vorrei noleggiare un'auto *vorre-ee nolejjeeare oonaooto*
I'd like a big/small car	Vorrei un'auto di grande/ piccola cilindrata *vorre-ee oonaooto dee grande/peekkola cheeleendrata*
I'd like a comfortable car	Vorrei un'auto comoda *vorre-ee oonaooto komoda*
I'd like a sports/fast car	Vorrei un'auto sportiva/ veloce *vorre-ee oonaooto sporteeva/ veloche*
I'd like an automatic/ economical car	Vorrei una macchina automatica/economica *vorre-ee oona makkeena aootomateeka/ekonomeeka*
driving licence	la patente di guida *la patente dee gooeeda*
valid/not valid driving licence	la patente valida/scaduta *la patente valeeda/skadoota*
insurance	l'assicurazione *lasseekooratseeone*
unlimited mileage	chilometraggio illimitato *keelometrajjeeo eelleemeetato*
Is insurance/VAT included?	L'assicurazione/l'IVA è inclusa? *lasseekooratseeone/leeva e eenklooza?*
Are there any additional costs?	Ci sono delle spese extra? *chee sono delle speze extra?*

Is the car new/in good condition?	La macchina è nuova/in buone condizioni? *la makkeena e noo-ova/een boo-one kondeetseeonee?*
What's the total cost?	Quanto viene a costare in tutto? *kooanto vee-ene a kostare een tootto?*
When/where can I collect the car?	Quando/dove posso ritirare la macchina? *kooando/dove posso reeteerare la makkeena?*
Where can I return the car/ the keys?	Dove devo riconsegnare la macchina/le chiavi? *dove devo reekonseNYare la makkeena/le keeavee?*
Do I need to fill in a form?	Devo riempire un modulo? *devo ree-empeere oon modoolo?*
Do I pay in advance?	Pago in anticipo? *pago een anteecheepo?*
Can you give me a route map?	Avrebbe una carta stradale? *avrebbe oona karta stradale?*
Can my husband/wife/son/ daughter also drive?	Può guidare anche mio marito/mia moglie/mio figlio/ mia figlia? *poo-o gooeedare anke meeo mareeto/meea moLYee-e meeo feeLYeeo/meea feeLYeea?*
What will you do if I have an accident/if I break down?	Cosa farete in caso di incidente/di guasto? *kosa farete een kazo dee eencheedente/dee gooasto?*
The tank is almost full	Il serbatoio è quasi pieno *eel serbatoeeo e kooazee pee-eno*
car radio	l'autoradio *laootoradeeo*

Accident

- 113 is the Italian equivalent of the British 999 to call the police [*la polizia*], the fire service [*i vigili del fuoco/i pompieri*] or an ambulance [*l'ambulanza*].

car crash	lo scontro *lo skontro*
dead/injured/unharmed	morto/ferito/illeso *morto/fereeto/eellezo*
head-on collision	lo scontro frontale *lo skontro frontale*
I've run somebody over	Ho investito una persona *o eenvesteeto oona persona*
That car went into the back of mine	Quella macchina mi ha tamponato *kooella makkeena mee ha tamponato*
He didn't give way	Non mi ha dato la precedenza *non mee a dato la prechedentsa*
The accident occurred as I was pulling out of this road	Si è verificato l'incidente come io uscivo da questa strada *see e vereefeekato leencheedente kome eeo oosheevo da kooesta strada*
I was backing out of this road	Facevo la retromarcia da questa via *fachevo la retromarcheea da kooesta veea*
traffic	il traffico *eel traffeeko*
to overtake	sorpassare/superare *sorpassare/sooperare*
assistance service	il soccorso stradale *eel sokkorso stradale*

By water

canal	il canale navigabile *eel kanale naveegabeele*
ship	la nave/il piroscafo *la nave/eel peeroskafo*
berth	la cuccetta/la cabina *la koochchetta/la kabeena*
ferry boat	il traghetto *eel tragetto*
gondola	la gondola *la gondola*
hovercraft	l'hovercraft *loverkraft*
hydrofoil	l'aliscafo *laleeskafo*
quay	il molo *eel molo*
How long is the crossing?	Quanto dura la traversata? *kooanto doora la traversata?*
Where do we get off ?	Dove si sbarca? *dove see sbarka?*
calm/rough sea	mare calmo/mare mosso *mare kalmo/mare mosso*
Where can I buy some sea sickness tablets?	Dove posso comprare delle pastiglie contro il mal di mare? *dove posso komprare delle pasteeLYee-e kontro eel mal dee mare?*
Where does the steamer stop?	Dove si ferma il vaporetto? *dove see ferma eel vaporetto?*
Is it possible to hire a motor boat?	Si può noleggiare un motoscafo? *see poo-o nolejjeeare oon motoskafo?*

Rescue

Help!	Aiuto! *aeeooto!*
Coast Guard	la Polizia Costiera *la poleetseea kostee-era*
life boat	la scialuppa di salvataggio *la sheealooppa dee salvatajjeeo*
life guard	il bagnino *eel baNYeeno*
life jacket	la cintura di salvataggio *la cheentoora dee salvatajjeeo*
SOS	SOS [Soccorso Occorre Subito] *esse o esse*
Beware of the rocks!	Attenti agli scogli! *attentee aLYee skoLYee*

By air

aeroplane	l'aereo *laereo*
glider	l'aliante *laleeante*
hang glider	il deltaplano *eel deltaplano*
helicopter	l'elicottero *leleekottero*
hot air balloon	la mongolfiera/il pallone aerostatico *la mongolfee-era/eel pallone aerostateeko*
light aircraft	l'aereo da turismo *laereo da tooreezmo*
supersonic jet	il jet supersonico *eel jet soopersoneeko*

In the mountains

cable car	la funivia/la teleferica *la fooneeveea/la telefereeka*
chair lift	la seggiovia *la sejjeeoveea*
funicular	la funicolare *la fooneekolare*
ski lift	la sciovia *la sheeoveea*
How far does the road go?	Fin dove arriva la strada? *feen dove arreeva la strada?*
Is the road open/closed?	La strada è aperta/chiusa al traffico? *la strada e aperta/keeooza al traffeeko?*
Is the pass open?	Il valico è aperto? *eel valeeko e aperto?*
Is there much snow/ice on the road?	C'è molta neve/molto ghiaccio sulla strada? *che molta neve/molto geeachcheeo soolla strada?*
Do I need snow chains?	Mi servono le catene? *mee servono le katene?*

You may see:	
Transito con catene o pneumatici da neve dal km 113	Wheel-chains, spiked or studded tyres, or snow tyres compulsory at 113 km
Valico transitabile con catene	Pass open only to cars fitted with chains

When will the road be clear again?	Quando verrà riaperta la strada? *kooando verra reeaperta la strada?*

Mont Blanc tunnel	il traforo del Monte Bianco *eel traforo del monte beeanko*
St Bernard tunnel	il traforo del San Bernardo *eel traforo del san bernardo*
avalanche	la valanga *la valanga*
landslide	la frana *la frana*
How can one get to the peak?	Come si arriva alla vetta/alla cima? *kome see arreeva alla vetta/ alla cheema?*
glacier	il ghiacciaio *eel geeachcheeaeeo*
volcano	il vulcano *eel voolkano*
Can one visit the crater?	Si può arrivare al cratere? *see poo-o arreevare al kratere?*
Is the volcano still active?	Il vulcano è sempre attivo? *eel voolkano e sempre atteevo?*

Hitchhiking

● Hitchhiking is not common in Italy as public transport is good and cheap.

hitchhiking	l'autostop *laootostop*
I'd like to go to Rome. How far are you going?	Vorrei andare a Roma. Fin dove arriva lei? *vorre-ee andare a roma feen dove arreeva le-ee?*
Could you give me a lift as far as . . . ?	Mi dà un passaggio fino a . . . ? *mee da oon passajjeeo feeno a . . . ?*

Group travel

courier	il rappresentante/il corriere *eel rapprezentante/eel korree-ere*
guide	la guida *la gooeeda*
interpreter	l'interprete *leenterprete*
I'm one of the ... group	Faccio parte della comitiva ... *fachcheeo parte della komeeteeva ...*
Where/when do we meet up again?	Dove/quando dobbiamo rincontrarci? *dove/kooando dobbeeamo reenkontrarchee?*
Do we meet again here?	Dobbiamo ritrovarci qui? *dobbeeamo reetrovarchee kooee?*
Have you seen our courier?	Avete visto il nostro corriere? *avete veesto eel nostro korree-ere?*

Would it be possible ... ?	Sarebbe possibile ... ? *sarebbe posseebeele ... ?*
... to stay longer in ...	... prolungare la visita a ... *proloongare la veezeeta a ...*
... to return earlier from ...	... rientrare prima da ... *ree-entrare preema da ...*

bicycle	la bicicletta *la beecheekletta*
motorbike/motorcycle	la motocicletta *la motocheekletta*
tandem	il tandem *eel tandem*

Pilgrimages

● See also **Religious Services**.

pilgrim	il pellegrino *eel pellegreeno*
We are going on a pilgrimage	Andiamo in pellegrinaggio *andeeamo een pellegreenajjeeo*
basilica	la basilica *la bazeeleeka*
blessing	la benedizione *la benedeetseeone*
convent	il convento *eel konvento*
monastery	il monastero *eel monastero*
Pope	il Papa *eel papa*
prayer	la preghiera *la pregee-era*
procession	la processione *la prochesseeone*
saints	i santi *ee santee*
shrine	il santuario *eel santooareeo*
the Vatican	il Vaticano *eel vateekano*
candle	la candela *la kandela*
We want to go to an audience with the Pope	Vorremmo andare ad un'udienza del Papa *vorremmo andare ad oonoodee-entsa del papa*

For disabled travellers

- Information is available from RADAR, 25 Mortimer Street, London W1M 8AB, tel 01–637 5400.

disabled	invalido/handicappato *eenvaleedo/andeekappato*
crutches	le stampelle/le grucce *le stampelle/le groochche*
walking stick	il bastone *eel bastone*
wheelchair	la sedia a rotelle *la sedeea a rotelle*
Could you help me?	Potrebbe aiutarmi? *potrebbe aeeootarmee?*

Could you help me . . . ?	Potrebbe aiutarmi . . . ? *potrebbe aeeootarmee . . . ?*
. . . to go up the stairs	. . . a salire le scale *a saleere le skale*
. . . to go down the steps	. . . a scendere gli scalini *a shendere LYee skaleenee*
. . . to cross the road	. . . ad attraversare la strada *ad attraversare la strada*

Is there a ramp/lift?	C'è una rampa/un ascensore? *che oona rampa/oon ashensore?*
There's something wrong with my wheelchair	La mia sedia a rotelle è guasta *la meea sedeea a rotelle e gooasta*
Does the theatre have facilities for the handicapped?	Il teatro è accessibile agli handicappati? *eel teatro e achchesseebeele aLYee andeekappatee?*
Do you have a toilet for the disabled?	C'è un bagno per gli handicappati? *che oon baNYo per LYee andeekappatee?*

95

Problems and Questions

Someone has taken my seat	Qualcuno ha occupato il mio posto *kooalkoono a okkoopato eel meeo posto*
I reserved the seat in London	Ho prenotato il posto a Londra *o prenotato eel posto a londra*
I've missed my flight/train/boat	Ho perso l'aereo/il treno/la nave *o perso laereo/eel treno/la nave*
I've missed my connection to . . .	Ho perso la coincidenza per . . . *o perso la koeencheedentsa per . . .*
Can I book a seat . . . ?	Posso prenotare un posto . . . ? *posso prenotare oon posto . . . ?*
. . . on another flight	. . . su un altro volo *soo oon altro volo*
. . . on the next flight	. . . sul prossimo volo *sool prosseemo volo*
When does the next train for . . . leave?	Quando parte il prossimo treno per . . . ? *kooando parte eel prosseemo treno per . . . ?*
Does the train stop at . . . ?	Il treno si ferma a . . . ? *eel treno see ferma a . . . ?*
How long will the train stop at . . . ?	Per quanto si ferma il treno a . . . ? *per kooanto see ferma eel treno a . . . ?*

SHOPPING

- Shopping reflects the rich variety of Italian products and life styles. It is an integral part of daily living. Italy has one of the highest ratios of shops per head of the population in Europe.
- The markets held in squares and streets offer a colourful and delicious range of fruits, vegetables and other agricultural produce as well as fashion and other household articles. Italy is famous for its fashion and design. Just look at the window displays of exclusive clothes shops.
- Remember also that Italian craftsmanship has a long tradition of quality and style. Italian leather goods and glass are admired throughout the world. So there are plenty of possibilities for souvenirs.
- Especially in markets don't be afraid to haggle over the price – the stallholder will be more surprised if you don't, and you could pick up a real bargain. Do not haggle though when you see the sign *Prezzi fissi* – fixed prices.

- Shops are normally open from 8.30 or 9.00am to 1pm and from 3.30 or 4.00pm to 7.30 or 8pm. The length of the lunch break varies and on Saturdays most shops close at 1pm.

Types of shops

baker's	il panificio/la panetteria *eel paneefeecheeo/la panettereea*
bookshop [see section on reading in Entertainment]	la libreria *la leebrereea*
boutique	la boutique/il negozio d'abbigliamento *la booteek/eel negotseeo dabbeeLYeeamento*
butcher's	la macelleria/il macellaio *la machellereea/eel machellaeeo*
cake & confectionery shop	la pasticceria *la pasteechchereea*
delicatessen shop	la salumeria/il salumiere *la saloomereea/eel saloomee-ere*
department stores	i grandi magazzini *ee grandee magadsdseenee*
do-it-yourself store	il negozio di bricolage *eel negotseeo dee breekolaj*
fishmonger's	la pescheria/il pescivendolo *la peskereea/eel pesheevendolo*
florist	il fioraio *eel feeoraeeo*
food shop	il negozio di generi alimentari *eel negotseeo dee jeneree aleementaree*

greengrocer's

il negozio di frutta e verdura/
il verduraio/il fruttivendolo
*eel negotseeo dee frootta e
verdoora/eel verdooraeeo/eel
frooteevendolo*

grocer's

la drogheria
la drogereea

haberdasher's

la merceria
la merchereea

hardware shop

l'utensileria
lootenseelereea

health food shop

l'erboristeria
lerboreestereea

jeweller's

la gioielleria
la jeeoee-ellereea

market

il mercato
eel merkato

milk and cheese shop

la latteria
la lattereea

newsagents

l'edicola/il giornalaio
ledeekola/eel jeeornalaeeo

dispensing optician [see
section on **Health**]
and camera shop [see section
on **Services**]

l'ottico
lotteeko

perfumery

la profumeria
la profoomereea

petrol station
[see **Travel** section]

il distributore/il rifornitore
*eel deestreebootore/eel
reeforneetore*

pharmacy/chemist's
[see **Health** section]

la farmacia
la farmacheea

post office
[see **Services** section]

l'ufficio postale
looffeecheeo postale

shoe shop

la calzoleria
la kaltsolereea

99

sports shop	il negozio di articoli sportivi *eel negotseeo dee arteekolee sporteevee*
stationer's	la cartoleria *la kartolereea*
supermarket/hypermarket	il supermercato/l'ipermercato *eel soopermerkato/ leepermerkato*
tobacconist's [see Services section]	la tabaccheria *la tabakkereea*
travel agent	l'agenzia di viaggi *lajentseea dee veeajjee*
toy shop	il negozio di giocattoli *eel negotseeo dee jeeokattolee*
wine shop [selling high quality wine]	l'enoteca *leñoteka*
basket/trolley	il cestino/il carrello *eel chesteeno/eel karrello*
I'd like to buy this	Vorrei comprare questo *vorre-ee komprare kooesto*
customer	il cliente *eel klee-ente*
expensive/cheap	caro/a buon prezzo, di buon mercato *karo/a boo-on pretstso, dee boo-on merkato*
hire purchase	l'acquisto a rate *lakkooeesto a rate*
sale/for sale	la vendita/in vendita *la vendeeta/een vendeeta*
self-service shop	il negozio self-service *eel negotseeo self-servees*
Do you sell . . . ?	Vende . . . ? *vende . . . ?*

You may see:

Liquidazione totale	Everything must go
Saldi/Svendita/ Liquidazione	Clearance sale
Con uno sconto del cinquanta per cento	Half price
Gratis	Absolutely free
Grandi occasioni	Great bargains
Prezzi eccezionali	Exceptional prices
Omaggio	Free gift

shop assistant	il commesso/la commessa *eel kommesso/la kommessa*
shop window	la vetrina *la vetreena*
Can I help you?	Desidera? *dezeedera?*
I'd like to see/buy . . .	Vorrei vedere/comprare . . . *vorre-ee vedere/komprare . . .*
I'm looking for . . .	Cerco . . . *cherko . . .*
I'm just looking	Sto solo dando uno sguardo *sto solo dando oono zgooardo*
Which makes do you sell . . . ?	Che marche vendete . . . ? *ke marke vendete . . . ?*
When will you have some more . . . ?	Quando riceverete altri . . . ? *kooando reecheverete altree . . . ?*
Where could I find some . . . ?	Dove potrei trovare . . . ? *dove potre-ee trovare . . . ?*
I'd like three . . .	Vorrei tre . . . *vorre-ee tre . . .*

Supermarkets and food shops

● Italian bread is sold by the kilo and comes in a variety of shapes and sizes.

a kilo of . . .

un chilo di . . .
oon keelo dee . . .

half a kilo of . . .

mezzo chilo di . . .
medsdso keelo dee . . .

a hectogram (100g) of . . .

un etto di . . .
oon etto dee . . .

a litre of . . .

un litro di . . .
oon leetro dee . . .

two boxes of . . .

due scatole di . . .
dooe skatole dee . . .

one bottle . . .

una bottiglia . . .
oona botteeLYeea . . .

a two-litre bottle . . .

un bottiglione . . .
oon botteeLYeeone . . .

a container . . .

un contenitore . . .
oon konteneetore . . .

a packet . . .

un pacco . . .
oon pakko . . .

a tube . . .

un tubetto . . .
oon toobetto . . .

a tin . . .

un barattolo . . .
oon barattolo . . .

a small tin . . .

una scatoletta . . .
oona skatoletta . . .

white bread/wholemeal bread

il pane bianco/il pane integrale
eel pane beeanko/eel pane eentegrale

bread roll/bread stick

il panino, la pagnotta/il filoncino
eel paneeno, la paNYotta/eel feeloncheeno

sandwich loaf	il pane in cassetta *eel pane een kassetta*
sliced sandwich loaf	il pancarrè *eel pankarre*
butter/margarine	il burro/la margarina *eel boorro/la margareena*
coffee/ground coffee/coffee beans	il caffè/il caffè macinato/i chicchi di caffè *eel kaffe/eel kaffe macheenato/ee keekkee dee kaffe*
flour	la farina *la fareena*
pasta/spaghetti/rice	la pasta/gli spaghetti/il riso *la pasta/LYee spagettee/eel reezo*
sugar	lo zucchero *lo dsookkero*
paper napkins/paper tissues	i tovagliolini di carta/i fazzoletti di carta *ee tovaLYeeoleenee dee karta/ee fatstsolettee dee karta*
toilet paper	la carta igienica *la karta eejee-eneeka*
washing powder	il detersivo *eel deterseevo*
washing-up liquid	il detersivo per i piatti *eel deterseevo per ee peeattee*
baby food	gli omogeneizzati *LYee omojene-eedsdsatee*
disposable nappies	i panni per bambini *ee pannee per bambeenee*
I'd like eight bread rolls	Mi dia otto panini *mee deea otto paneenee*
I'd like two kilograms of bread	Due chili di pane per favore *dooe keelee dee pane per favore*

Delicatessen and cheese shop

fresh/mature cheese	il formaggio fresco/ stagionato *eel formajjeeo fresko/ stajeeonato*
grated cheese	il formaggio grattugiato *eel formajjeeo grattoojeeato*
raw/cooked ham	il prosciutto crudo/cotto *eel prosheeootto kroodo/ kotto*
fresh/long life milk	il latte fresco/a lunga conservazione *eel latte fresko/a loonga konservatseeone*
whole/semi-skimmed/ skimmed milk	il latte intero/parzialmente scremato/scremato *eel latte eentero/ partseealmente skremato/ skremato*
I'd like some sliced mortadella/salame/ham	Vorrei un po' di affettati *vorre-ee oon po dee affettatee*
I'd like to taste that ham	Vorrei assaggiare quel prosciutto *vorre-ee assajjeeare kooel prosheeootto*

Butcher's

● See **Eating Out** section.

beef	carne bovina *karne boveena*
goat/kid	carne caprina *karne kapreena*
horse meat	carne equina *karne ekooeena*
lamb/mutton	carne ovina *karne oveena*

pork	carne suina *karne sooeena*
poultry	pollame *pollame*
game	selvaggina *selvajjeena*
mince	la carne macinata/la carne tritata *la karne macheenata/la karne treetata*
tripe	la trippa *la treeppa*
I'd like some very lean meat	Vorrei della carne magrissima *vorre-ee della karne magreesseema*
That steak has too much fat	Quella bistecca ha troppo grasso *kooella beestekka a troppo grasso*
One kilo of stewing beef	Un chilo di manzo per fare uno spezzatino *oon keelo dee mandso per fare oono spetstsateeno*

Fishmonger's

● See **Eating Out** section.

fresh fish	il pesce fresco *eel peshe fresko*
frozen fish	il pesce surgelato *eel peshe soorjelato*
shellfish	i crostacei *ee krostache-ee*
Half a kilo of sardines	Mezzo chilo di sardine *medsdso keelo dee sardeene*
Could you gut the fish for me?	Me lo pulisce per favore? *me lo pooleeshe per favore?*

Department store

On which floor are the domestic appliances?	A che piano sono gli elettrodomestici? *a ke peeano sono LYee elettrodomesteechee?*
Where is the gift department?	Dove sono gli articoli da regalo? *dove sono LYee arteekolee da regalo?*
escalator	la scala mobile *la skala mobeele*
floor	il piano *eel peeano*
lifts	gli ascensori *LYee ashensoree*
stairs	le scale *le skale*

Clothing

- For sizes of clothes and shoes see section on **Essential Information.**

size	la taglia *la taLYeea*
shoe size	il numero di scarpa *eel noomero dee skarpa*
designer clothes	gli abiti firmati *LYee abeetee feermatee*
anorak	la giacca a vento *la jeeakka a vento*
coat	il cappotto *eel kappotto*
gloves	i guanti *ee gooantee*
hat/cap	il cappello/il berretto *eel kappello/eel berretto*

head scarf	il foulard *eel foolar*
jacket	la giacca *la jeeakka*
shorts	i pantaloncini corti *ee pantaloncheenee kortee*
short/long skirt	la gonna corta/lunga *la gonna korta/loonga*
socks/stockings	le calze *le kaltse*
suit (male)	l'abito *labeeto*
suit (female)	il tailleur *eel taee-er*
tie	la cravatta *la kravatta*
tights	i collant *ee kollant*
trousers	i pantaloni/i calzoni *ee pantalonee/ee kaltsonee*
underwear	la biancheria intima *la beeankereea eenteema*
bra	il reggiseno *eel rejjeeseno*
I'd like to try it on	Vorrei provarlo *vorre-ee provarlo*
This feels tight. Can I try a bigger size?	E' troppo stretto. Potrei provare una taglia più grande? *e troppo stretto potre-ee provare oona taLYeea peeoo grande?*
I wear size 14 clothes and size 6 shoes	Ho la taglia quarantaquattro e calzo il trentanove *o la taLYeea kooarantakooattro e kaltso eel trentanove*

107

Haberdasher's

zip	la cerniera *la chernee-era*
button	il bottone *eel bottone*
material	il tessuto/la stoffa *eel tessooto/la stoffa*
lining	la fodera *la fodera*
needle	l'ago *lago*
thread	il filo per cucire *eel feelo per koocheere*
one metre	un metro *oon metro*
two metres	due metri *dooe metree*
I'd like two and a half metres of this material	Vorrei due metri e mezzo di questa stoffa *vorre-ee dooe metree e medsdso dee kooesta stoffa*
How much is a metre of this material?	Quant'è al metro questa stoffa? *kooante al metro kooesta stoffa?*
bed linen (sheets/pillowcases)	la biancheria da letto (lenzuola/federe) *la beeankereea da letto (lentsoo-ola/federe)*
table linen (cloths/serviettes)	la biancheria da tavola (tovaglie/tovaglioli) *la beeankereea da tavola (tovaLYee-e /tovaLYeeolee)*
towels/tea towels	gli asciugamani/gli strofinacci *LYee asheeoogamanee/LYee strofeenachchee*

Toiletries and cosmetics

after-shave lotion

il dopobarba
eel dopobarba

deodorant

il deodorante
eel deodorante

face cream

la crema per il viso
la krema per eel veezo

hair gel/hair mousse

il gel/la spuma
eel jel/la spooma

make-up

il trucco
eel trookko

nail varnish/nail varnish
remover

lo smalto per unghie/
l'acetone
*lo zmalto per oongee-e/
lachetone*

perfume

il profumo
eel profoomo

shampoo for greasy/dry/
normal hair
[for other hair products see
Services section]

lo shampoo per capelli grassi/
secchi/normali
*lo shampo per kapellee
grassee/sekkee/normalee*

shaving foam

la schiuma da barba
la skeeooma da barba

soap

il sapone/la saponetta
eel sapone/la saponetta

fluoride toothpaste

il dentifricio al fluoro
*eel denteefreecheeo al floo-
oro*

I'd like a non-allergenic
cream

Vorrei una crema anti
allergica
*vorre-ee oona krema antee
allerjeeka*

Do you sell products for
sensitive skins?

Vende prodotti per pelli
delicate?
*vende prodottee per pellee
deleekate?*

Tobacconist

● See also **Services** section.

cigar	il sigaro *eel seegaro*
cigarette	la sigaretta *la seegaretta*
cigarette lighter	l'accendino *lachchendeeno*
matches	i fiammiferi/i cerini *ee feeammeefereelee* *chereenee*
pipe	la pipa *la peepa*
postcard	la cartolina *la kartoleena*
tobacco	il tabacco *eel tabakko*
two packets of 20 cigarettes	due pacchetti da 20 sigarette *dooe pakkettee da ventee* *seegarette*
How much are these postcards?	Quanto costano queste cartoline? *kooanto kostano kooeste* *kartoleene?*
Can I have the stamps for them as well?	Mi da anche i francobolli per queste? *mee da anke ee frankobollee* *per kooeste?*
A box of matches please	Una scatola di cerini per favore *oona skatola dee chereenee* *per favore*
Do you have any English/American cigarettes?	Avete sigarette inglesi/americane? *avete seegarette eenglezeel* *amereekane?*

Stationer's

adhesive tape	il nastro adesivo/lo scotch *eel nastro adezeevo/lo skoch*
biro	la penna biro *la penna beero*
birthday card	il biglietto d'auguri di compleanno *eel beeLYee-etto daoogooree dee kompleanno*
calculator	la calcolatrice *la kalkolatreeche*
eraser	la gomma per cancellare *la gomma per kanchellare*
envelope	la busta *la boosta*
greetings card	il biglietto d'auguri *eel beeLYee-etto daoogooree*
map	la carta geografica/la mappa *la karta jeografeeka/la mappa*
pen/felt-tip pen/fountain pen	la penna/il pennarello/la stilografica *la penna/eel pennarello/la steelografeeka*
pencil	la matita/il lapis *la mateeta/eel lapees*
pencil sharpener	il temperamatite/il temperalapis *eel temperamateete/eel temperalapees*
ream of paper [= 500 sheets]	la risma di carta *la reezma dee karta*
staple/stapler	la graffetta/la cucitrice *la graffetta/la koocheetreeche*
writing paper	la carta da lettere *la karta da lettere*

Wrapping and paying

carrier bag/shopping bag	la busta/la borsa *la boosta/la borsa*
cashier	la cassiera/il cassiere *la kassee-era/eel kassee-ere*
change	il resto *eel resto*
queue/do I queue here?	la fila, la coda/faccio la fila qui? *la feela, la koda/fachcheeo la feela kooee?*
receipt	lo scontrino *lo skontreeno*
Where can I pay?	Dov'è la cassa? *dove la kassa?*
How much is it?/How much are they?	Quanto costa?/Quanto costano? *kooanto kosta?/kooanto kostano?*
It's more than I thought	E' più di quanto pensassi *e peeoo dee kooanto pensassee*
What discount can you give me?	Che sconto mi fa? *ke skonto mee fa*
If I buy three will you give me a better price?	Se ne compro tre mi fa un prezzo migliore? *se ne kompro tre mee fa oon pretstso meeLYeeore?*
I can't afford it	Non me lo posso permettere *non me lo posso permettere*
Could you giftwrap it for me?	Mi fà una confezione regalo? *mee fa oona konfetseeone regalo?*
Could I have a carrier bag?	Mi dà una busta per favore? *mee da oona boosta per favore?*

SERVICES

- You will find a complete range of services in Italy, so you should not have any problems getting things done, be it repairs to your car, new soles for your shoes, your clothes cleaned, or some medicine for a particular ailment.
- Remember to agree at the outset what you want done, when the job will be ready, and how much it costs.

Information

tourist information office	l'azienda di turismo/l'ufficio informazioni per il turismo *ladsee-enda dee tooreezmo/ looffeecheeo eenformatseeonee per eel tooreezmo*
travel agency	l'agenzia di viaggi *lagentseea dee veeajjee*

113

I'd like . . .	Vorrei . . .
	vorre-ee . . .

. . . some information	. . . delle informazioni
	delle eenformatseeonee
. . . a map of the city	. . . una pianta della città
	oona peeanta della cheetta
	. . . una carta topografica
	oona karta topografeeka
. . . a guide book	. . . una guida
	oona gooeeda
. . . a list of the hotels	. . . un elenco/una lista degli alberghi
	oon elenko/oona leesta deLYee albergee
. . . a list of the restaurants	. . . una lista dei ristoranti
	oona leesta de-ee reestorantee
. . . a list of the local monuments	. . . una lista dei monumenti locali
	oona leesta de-ee monoomentee lokalee
. . . a list of the museums	. . . una lista dei musei
	oona leesta de-ee moozeeee

Do you have any publications in English?	Avete delle pubblicazioni in inglese?
	avete delle poobbleekatseeonee een eengleze?
Do you have a timetable for the trains/buses to . . . ?	Avete un orario dei treni/degli autobus per . . . ?
	avete oon orareeo de-ee trenee/deLYee aootoboos per . . . ?

Bank/bureau de change

- Italian banks are open in the morning from 8.30am to 1.30pm and for one hour in the afternoon, normally from 3.00 to 4.00pm.
- Italian banknotes are available in the following denominations: 1,000, 2,000, 5,000, 10,000, 20,000, 50,000 and 100,000 Lire. Coins are available in the following: 5, 10, 20, 50, 100, 200 and 500 Lire.

bank	la banca *la banka*
bureau de change	il cambio *eel kambeeo*
I would like to change ...	Vorrei cambiare ... *vorre-ee kambeeare ...*
some Traveller's Cheques	dei Travellers Cheque *de-ee travellerz chek*
£ sterling	delle sterline *delle sterleene*
US dollars	dei dollari americani *de-ee dollaree amereekanee*
What is today's exchange rate?	Qual'è il tasso di cambio oggi? *kooale eel tasso dee kambeeo ojjee?*
Here's my passport	Ecco il mio passaporto *ekko eel meeo passaporto*
Where do I sign?	Dove devo firmare? *dove devo feermare?*
bank clerk	l'impiegato/l'impiegata *leempee-egato/leempee-egata*
I would like to cash this cheque	Vorrei incassare questo assegno *vorre-ee eenkassare kooesto asseNYo*

115

cash card	la carta personalizzata *la karta personaleedsdsata*
cash dispenser	la cassa automatica prelievi *la kassa aootomateeka* *prelee-evee*
cheque	l'assegno circolare *lasseNYo cheerkolare*
cheque guarantee card	la carta assegni *la karta asseNYee*
credit card	la carta di credito *la karta dee kredeeto*
Eurocheques	gli Eurocheque *LYee eoorochek*
foreign currency	la valuta estera *la valoota estera*
till	lo sportello *lo sportello*
Where do I get my money?	Dov'è la cassa? *dove la kassa?*
Could you give me some small notes?	Può darmi delle banconote di taglio piccolo? *poo-o darmee delle bankonote dee taLYeeo peekkolo?*
some 5,000 and 10,000 lire notes	dei biglietti da cinque e dieci mila lire *de-ee beeLYee-ettee da cheenkooe e dee-echee meela leere*
some 200 lire coins	delle monete da duecento lire *delle monete da dooechento leere*
Could you change this 100,000 lire note?	Mi può cambiare queste centomila lire? *mee poo-o kambeeare kooeste chentomeela leere?*

At the cobbler's/shoemender's

cobbler/shoemender	il calzolaio *eel kaltsolaeeo*
heel	il tacco *eel takko*
sole	la suola *la soo-ola*
upper	la tomaia *la tomaeea*
Where can I get my shoes mended?	Dove posso farmi riparare le scarpe? *dove posso farmee reeparare le skarpe?*

Can you repair these . . . for me?	Mi può aggiustare . . . ? *mee poo-o ajjeeoostare . . . ?*
. . . shoes	. . . queste scarpe *kooeste skarpe*
. . . sandals	. . . questi sandali *kooestee sandalee*

These shoes need new soles	Queste scarpe hanno bisogno di suole nuove *kooeste skarpe anno beezoNYo dee soo-ole noo-ove*
I've lost a heel	Ho perso un tacco *o perso oon takko*
Do you sell laces and insoles?	Vende lacci e suolette? *vende lachchee e soo-olette?*
I'd like some black polish and a brush	Vorrei del lucido nero e una spazzola *vorre-ee del loocheedo nero e oona spatstsola*

Using the telephone

- Most public telephones take a range of coins, though for some old ones you need a special token, *un gettone*. These tokens can be bought in bars, cafés, tobacconists and post offices. Also available from newsagents and tobacconists are phone cards (*carte telefoniche*).

Can I have some tokens for the telephone?	Vorrei dei gettoni per il telefono *vorre-ee de-ee jettonee per eel telefono*
Is there a phone box nearby?	C'è una cabina telefonica qui vicino? *che oona kabeena telefoneeka kooee veecheeno?*
Can I have a phone card, please?	Una carta telefonica, per favore *oona karta telefoneeka per favore*
Hello!	Pronto! *pronto!*
Who is it speaking?	Chi parla? *kee parla?*
I've dialled the wrong number	Ho sbagliato numero *o zbaLYeeato noomero*
local phone call	la telefonata urbana *la telefonata oorbana*
long distance phone call	la telefonata interurbana *la telefonata eenteroorbana*
direct dialling long distance call	la telefonata in teleselezione *la telefonata een teleseletseeone*
national/international code number	il prefisso nazionale/internazionale *eel prefeesso natseeonale/eenternatseeonale*

telephone number	il numero telefonico *eel noomero telefoneeko*
telephone directory	l'elenco telefonico *lelenko telefoneeko*
Yellow Pages	le Pagine Gialle *le pajeene jeealle*
Can I make international calls from this phone?	Da questo telefono posso fare una chiamata internazionale? *da kooesto telefono posso fare oona keeamata eenternatseeonale?*
Can I use your phone?	Posso usare il suo telefono? *posso oozare eel soo-o telefono?*
I'd like to call England	Vorrei chiamare un numero in Inghilterra *vorre-ee keeamare oon noomero een eengeelterra*
Do you have a telephone directory?	Ha un elenco telefonico? *a oon elenko telefoneeko?*
The line has gone dead/I've been cut off	È caduta la linea *e kadoota la leenea*
The number's engaged/not engaged	Il numero è occupato/libero *eel noomero e okkoopato/leebero*

Posting

● You can buy postage stamps [*francobolli*] and inland revenue stamps [*valori bollati*] at post offices and tobacconist shops. The latter are essential if you are completing any legal formalities. For other postal services you will need to go to a post office.

Is there a tobacconist/post office near here?	C'è un tabaccaio/un ufficio postale qui vicino? *che oon tabakkaeeo/oon ooffeecheeo postale kooee veecheeno?*

How much does it cost to post a letter/postcard to England/the United States?	Quant'è il francobollo per una lettera/cartolina per l'Inghilterra/gli Stati Uniti? *kooante eel frankobollo per oona lettera/kartoleena per leengeelterra/LYee statee ooneetee?*
Six 650 lire stamps	Sei francobolli da seicentocinquanta *se-ee frankobollee da se-eechentocheenkooanta*

I would like to send this . . .	Vorrei spedire questo . . . *vorre-ee spedeere kooesto . . .*
. . . via air mail	. . . per posta aerea *per posta aerea*
. . . via surface mail	. . . per posta ordinaria *per posta ordeenareea*
. . . express	. . . espresso *espresso*
. . . registered	. . . per raccomandata *per rakkomandata*

Where's the letter box?	Dov'è la buca/la cassetta delle lettere? *dove la booka/la kassetta delle lettere?*
How much does a telegram cost per word?	Quanto costa a parola un telegramma? *kooanto kosta a parola oon telegramma?*
How long will it take to arrive?	Quanto ci metterà ad arrivare? *kooanto chee mettera ad arreevare?*
Is there a fax/telex machine in this post office?	C'è un fax/un telex in questo ufficio postale? *che oon fax/oon telex een kooesto ooffeecheeo postale?*

Police

● There are a number of branches of the police. Major crimes are the province of the *Carabinieri* [actually a branch of the armed forces]. *Vigili Urbani* are basically concerned with traffic control.

policeman	il poliziotto/il vigile/l'agente *eel poleetseeotto/eel veejeele/ lajente*
policewoman	la donna poliziotto/la vigilessa/l'agente *la donna poleetseeotto/la veejeelessa/lajente*
police station	il commissariato di polizia *eel kommeessareeato dee poleetseea*
police headquarters [for passports, visas, hunting licences etc.]	la Questura *la kooestoora*

I have lost . . .	Ho perso . . . *o perso . . .*
. . . my passport	. . . il passaporto *eel passaporto*
. . . my wallet	. . . il portafoglio *eel portafoLYeeo*
. . . my documents	. . . i documenti *ee dokoomentee*
. . . my suitcase	. . . la valigia *la valeejeea*
. . . my Traveller's Cheques	. . . i miei Travellers Cheque *ee mee-e-ee travellerz chek*
Have you found . . . ?	Avete trovato . . . ? *avete trovato . . . ?*

Has a passport been handed in?	Qualcuno ha consegnato un passaporto? *kooalkoono a konseNYato oon passaporto?*
My wallet/car/money has been stolen	Mi hanno rubato il portafoglio/la macchina/i soldi *mee anno roobato eel portafoLYeeo/la makkeena/ ee soldee*
My car has been broken into and my car radio has been stolen	Mi hanno scassinato la macchina e hanno rubato l'autoradio *mee anno skasseenato la makkeena e anno roobato laootoradeeo*
The car lock was forced	La serratura della macchina è stata forzata *la serratoora della makkeena*
I have been robbed	Sono stato/a derubato/a *sono stato/a deroobato/a*
Someone snatched my bag	Sono stato/a scippato/a *sono stato/a sheeppato/a*
I am here to report a theft	Sono venuto a denunciare un furto *sono venooto a denooncheeare oon foorto*
My apartment has been burgled	Il mio appartamento è stato svaligiato *eel meeo appartamento e stato svaleejeeato*
My residence permit has expired: can I renew it for another three months?	Il mio permesso di soggiorno è scaduto: posso rinnovarlo per altri tre mesi? *eel meeo permesso dee sojjeeorno e skadooto: posso reennovarlo per altree tre mezee?*

At the barber's/hairdresser's

barber	il barbiere *eel barbee-ere*
hairdresser's shop	il salone del parrucchiere/ della parrucchiera *eel salone del parrookkee-ere/ della parrookee-era*
unisex/men's/ladies' salon	il salone unisex/per uomini/ per signore *eel salone ooneesex/per oo- omeenee/per seeNYore*
beauty salon	il salone di bellezza *eel salone dee belletstsa*
Could you trim my beard?	Mi dà una spuntatina alla barba? *mee da oona spoontateena alla barba?*
Could you cut/wash my hair?	Mi taglia i capelli/mi fa uno shampoo? *mee taLYeea ee kapellee/mee fa oono shampo?*
cut and blow dry	taglio e messa in piega *taLYeeo e messa een pee-ega*
highlights	le mechés *le mesh*
perm	la permanente *la permanente*
not too short/not too long	Non troppo lunghi/non troppo corti *non troppo loongee/non troppo kortee*
hair conditioner	il balsamo *eel balsamo*
hair spray	il fissatore/la lacca *eel feessatore/la lakka*

Cleaner's

cleaner's	la lavanderia/tintoria *la lavandereea/teentoreea*
dry cleaning	il lavaggio a secco *eel lavajjeeo a sekko*
Can you clean this jacket for me?	Mi può lavare questa giacca? *mee poo-o lavare kooesta jeeakka?*
The material is delicate	Il tessuto è delicato *eel tessooto e deleekato*
It's silk/velvet/wool/cotton/ linen/man-made fibres	È di seta/velluto/lana/cotone/ lino/fibre sintetiche *e dee seta/vellooto/lana/ kotone/leeno/feebre seenteteeke*
When will my trousers be ready?	Quando saranno pronti i miei calzoni? *kooando saranno prontee ee mee-e-ee kaltsonee?*
When can I collect my dress?	Quando posso ritirare il vestito? *kooando posso reeteerare eel vesteeto?*
stain	la macchia *la makkeea*
stain removal	la smacchiatura *la zmakkeeatoora*
I haven't managed to remove these stains	Non sono riuscito a togliere queste macchie *non sono reeoosheeto a toLYee-ere kooeste makkee-e*
Do you clean leather/suede?	Pulite la pelle/la renna? *pooleete la pelle/la renna?*
Do you clean fur coats?	Pulite le pellicce? *pooleete le pelleechche*

At a camera shop

camera	la macchina fotografica *la makkeena fotografeeka*
cine camera	la cinepresa *la cheenepreza*
video camera	la video camera *la veedeo kamera*
flash	il flash *eel flash*
battery	la batteria/la pila *la battereea/la peela*
film	la pellicola/il rullino *la pelleekola/eel roolleeno*
black and white film	la pellicola in bianco e nero *la pelleekola een beeanko e nero*
colour film	la pellicola a colori *la pelleekola a koloree*
negative	la negativa *la negateeva*
slide film	la pellicola per diapositive *la pelleekola per deeapozeeteeve*
24/36 exposures	ventiquattro/trentasei pose *venteekooattro/trentase-ee poze*
I'd like a 36 exposure colour film	Vorrei una pellicola a colori da 36 *vorre-ee oona pelleekola a koloree da trentase-ee*
photograph/photography	la fotografia *la fotografeea*
Can I take a photograph of you?	Posso farvi una fotografia? *posso farvee oona fotografeea?*

Could you develop this film?	Può sviluppare questa pellicola? *poo-o zveelooppare kooesta pelleekola?*
I'd like a copy of this print	Vorrei una copia di questa foto *vorre-ee oona kopeea dee kooesta foto*
I'd like this print to be enlarged	Vorrei fare un ingrandimento di questa foto *vorre-ee fare oon eengrandeemento dee kooesta foto*
My camera isn't working	La mia macchina fotografica è guasta *la meea makkeena fotografeeka e gooasta*
The wind-on mechanism seems stuck	La bobina d'avvolgimento sembra inceppata *la bobeena davvoljeemento sembra eencheppata*
The shutter isn't working	L'otturatore non funziona *lottooratore non foontseeona*
Can it be repaired?	È possibile ripararla? *e posseebeele reepararla?*
When will the prints/slides be ready?	Quando saranno pronte le foto/diapositive? *kooando saranno pronte le foto/deeapozeeteeve?*
I'd like to have some passport photos taken	Vorrei che mi facesse delle fotografie d'identità *vorre-ee ke mee fachesse delle fotografee-e deedenteeta*
How much do you charge for developing?	Quanto fate pagare per lo sviluppo? *kooanto fate pagare per lo zveelooppo?*

Religious services

● See also **Travel** section.

religion	la religione *la releejeeone*
religious	religioso *releejeeozo*
denomination	la confessione *la konfesseeone*
Christian	cristiano *kreesteeano*
Catholic	cattolico *kattoleeko*
Church of England	anglicano *angleekano*
Greek Orthodox	greco-ortodosso *greko ortodosso*
Jewish	ebreo *ebreo*
Jehovah's Witness	testimone di Geova *testeemone dee jeova*
Mormon	mormone *mormone*
Moslem	mussulmano *moossoolmano*
Protestant	protestante/evangelico *protestante/evanjeleeko*
cathedral	la cattedrale/il duomo *la kattedrale/eel doo-omo*
chapel	la cappella *la kappella*
church/parish church	la chiesa/la chiesa parrocchiale *la kee-eza/la kee-eza parrokkeeale*

mosque	la moschea *la moskea*
synagogue	la sinagoga *la seenagoga*
bishop	il vescovo *eel veskovo*
monk	il frate/il monaco *eel frate/eel monako*
nun	la suora/la monaca *la soo-ora/la monaka*
Pope	il Papa *eel papa*
priest/parish priest	il prete, il sacerdote/il parroco *eel prete, eel sacherdote/eel parroko*
mass	la messa *la messa*
Communion	la Comunione *la komooneeone*
Confession	la Confessione *la konfesseeone*
Is there a service in English?	C'è una funzione in inglese? *che oona foontseeone een eengleze?*
At what time is the mass in English?	A che ora è la messa in inglese? *a ke ora e la messa een eengleze?*
Do you have an English Bible?	Ha una Bibbia in inglese? *a oona beebbeea een eengleze?*
I'd like to go to an audience with the Pope	Vorrei andare ad un'udienza del Papa *vorre-ee andare ad oonoodee-entsa del papa*

ESSENTIAL INFORMATION

Abbreviations used in Italy

ac	assegno circolare	bank cheque
ACI	Automobile Club Italiano	Italian Automobile Association
BI	Banca d'Italia	Major Italian Bank
C	Celsius, centigrado	Celsius, Centigrade
ca	corrente anno [in correspondence]	of the present year
c/c	conto corrente	current account
CC	Carabinieri	Carabinieri Police Force
CC	Camera di Commercio	Chamber of Commerce
CEE	Comunità Economica Europea	European Community
CIT	Compagnia Italiana Turismo	Italian Tourist Agency
CV	Cavallo Vapore	Horsepower
Dott Dr	Dottore	Medical Doctor/University Graduate [male]
Dott ssa	Dottoressa	Medical Doctor/University Graduate [female]
Dott Ing	Dottore Ingegnere	Engineering Graduate
ENEL	Ente Nazionale per l'Energia Elettrica	National Electricity Board
ENIT	Ente Nazionale Industrie Turistiche	State Tourist Board
FFSS	Ferrovie dello Stato	State Railway
GF	Guardia di Finanza	Customs and Excise Police
IVA	Imposta Valore Aggiunto	Value Added Tax [VAT]
Lit	Lire Italiane	Italian Lire [also £]
MEC	Mercato Comune Europeo	Common Market
ONU	Organizzazione Nazioni Unite	United Nations Organisation
PTT	Poste e Telegrafi	Post Office
PS	Pubblica Sicurezza	State Police
RAI	Radio Televisione Italiana	Italian Broadcasting Corporation
Sig	Signore [followed by surname]	Mr
Sigra	Signora [followed by surname]	Mrs
Signa	Signorina [followed by surname]	Miss
IP	Società Italiana per l'Esercizio Telefonico	Italian Telecom
TCI	Touring Club Italiano	Italian Organisation [like the AA]

Useful addresses in Great Britain

Alitalia, 27 Piccadilly, London W1	Tel 01-745 8200
Italian Chamber of Commerce, Room 418–427 Walmar House, 296 Regent Street, London W1	Tel 01-637 3153
Italian Consulate, 38 Eaton Place, London SW1	Tel 01-235 9371
Italian Embassy, 14 Three Kings Yard, London W1	Tel 01-629 8200
Italian Institute, 39 Belgrave Square, London SW1	Tel 01-235 1461
Italian State Tourist Office, 1 Princes Street, London W1R	Tel 01-408 1254
Italian Trade Centre, 37 Sackville Street, London W1	Tel 01-734 2412

Embassies and consulates

Great Britain

Rome	Via XX Settembre, 80/A	Tel 06/475 5441	**Roma**
Milan	Via San Paolo, 7	Tel 01/80 3442	**Milano**
Venice	Dorsoduro, 1051	Tel 041/272 07	**Venezia**
Florence	Palazzo Castelbarco, Lungarno Corsini, 2	Tel 055/28 4133	**Firenze**
Naples	Via Francesco Crispi, 112	Tel 081/20 9227	**Napoli**

United States

Rome	Via Vittorio Veneto, 119A	Tel 06/4674	**Roma**
Milan	Piazza della Repubblica, 32	Tel 02/652 841	**Milano**
Florence	Lungarno Vespucci, 38	Tel 055/29 8276	**Firenze**
Naples	Piazza della Repubblica	Tel 081/66 0966	**Napoli**
Palermo	Via GB Vaccarini	Tel 091/29 1532	**Palermo**

Italian Airports

Rome	Leonardo Da Vinci [Fiumicino]	Tel 06/60 121
	Ciampino	Tel 06/4694
Milan	Linate	Tel 02/748 52 200
	Malpensa	Tel 02/748 52 200
Turin	Città di Torino	Tel 011/577 83 61
Genoa	Cristoforo Colombo	Tel 010/56 65 32
Venice	Marco Polo [Tessera]	Tel 041/66 12 62
Bologna	Guglielmo Marconi	Tel 051/31 19 52
Pisa/Florence	Galileo Galilei	Tel 050/280 88
Naples	Ugo Niutta [Capodichino]	Tel 081/551 2200
Cagliari	Elmas	Tel 070/59 16 90
Palermo	Punta Raisi	Tel 091/24 00 46

Telephoning abroad from Italy

United Kingdom	0044, then STD code without the initial 0
London	0044 1
Cardiff	0044 222
Belfast	0044 232
Edinburgh	0044 31
Dublin	00 353 1
USA/Canada	00 1
Washington DC	00 1 202
New York City	00 1 212
San Francisco	00 1 415

Useful telephone numbers

emergency services	113	*pronto intervento*
early morning calls	114	*sveglia*
snow report	162	*notiziario della neve*
weather forecast	1911	*previsioni metereologiche*
road report	194	*percorribilità strade*
duty chemists	192	*farmacie di turno*
breakdown recovery	116	*soccorso stradale*

Conversion tables

Distance

● eg 10 km = 6 miles, 10 miles = 16 km

miles	6	12	19	25	31	37	44	50	56	62	68	75	81
km/miles	10	20	30	40	50	60	70	80	90	100	110	120	130
km	16	32	48	64	80	97	113	129	145	161	177	194	210

Temperature

°F	0	20	32	50	70	87	98.6	105	212
°C	−18	−3	0	10	21	30	36.9	40	100

Liquids

litres	5	10	15	20	25	30	35	40	45	50
imperial gallons	1.1	2.2	3.3	4.4	5.5	6.6	7.7	8.8	9.9	11.0
US gallons	1.3	2.6	3.9	5.2	6.5	7.8	9.1	10.4	11.7	13.0

Weights

● eg 1kg = 2.2 lbs, 1lb = 0.46 kg

lbs	1.1	2.2	4.4	6.6	8.8	11.0	13.2	15.4	17.6	19.8	21.0
kg/lbs	½	1	2	3	4	5	6	7	8	9	10
kg	0.23	0.46	0.92	1.38	1.84	2.3	2.76	3.22	3.68	4.14	4.6

NB 1000g = 1kg

Materials

cotton	il cotone *eel kotone*	velvet	il velluto *eel vellooto*
wool	la lana *la lana*	leather	la pelle *la pelle*
silk	la seta *la seta*	lace	il pizzo *eel peets-tso*

Clothes sizes

Men's Suits

British	36	38	40	42	44	46	48	50
British	36	38	40	42	44	46	48	50
American	36	38	40	42	44	46	48	50
Continental	46	48	50/52	54	56	58/60	62	64

Men's Shirts

British	14	$14\frac{1}{2}$	15	$15\frac{1}{2}$	16	$16\frac{1}{2}$	17	$17\frac{1}{2}$
American	14	$14\frac{1}{2}$	15	$15\frac{1}{2}$	16	$16\frac{1}{2}$	17	$17\frac{1}{2}$
Continental	35	36/37	38	39/40	41	42/43	44	45

Men's Shoes

British	7	$7\frac{1}{2}$	8	$8\frac{1}{2}$	9	$9\frac{1}{2}$	10	$10\frac{1}{2}$	11
American	$7\frac{1}{2}$	8	$8\frac{1}{2}$	9	$9\frac{1}{2}$	10	$10\frac{1}{2}$	11	$11\frac{1}{2}$
Continental	41		42		43		44		45

Women's Sizes

British	8	10	12	14	16	18	20	22
American	–	8	10	12	14	16	18	20
Continental	–	36	38	40	42	44	46	48

Women's Shoes

British	4	$4\frac{1}{2}$	5	$5\frac{1}{2}$	6	$6\frac{1}{2}$	7	$7\frac{1}{2}$
American	$5\frac{1}{2}$	6	$6\frac{1}{2}$	7	$7\frac{1}{2}$	8	$8\frac{1}{2}$	9
Continental	36	37	38	38	39	40	41	41

Colours

black	nero *nero*	**white**	bianco *beeanko*
red	rosso *rosso*	**blue**	blu *bloo*
yellow	giallo *jeeallo*	**green**	verde *verde*
brown	marrone *marrone*	**grey**	grigio *greejeeo*

Days of the week

Monday	lunedì *loonedee*	**Friday**	venerdì *venerdee*
Tuesday	martedì *martedee*	**Saturday**	sabato *sabato*
Wednesday	mercoledì *merkoledee*	**Sunday**	domenica *domeneeka*
Thursday	giovedì *jeeovedee*		

Seasons

spring	la primavera *la preemavera*	**autumn**	l'autunno *laootoonno*
summer	l'estate *lestate*	**winter**	l'inverno *leenverno*

Months

January	gennaio *jennaeeo*	**July**	luglio *looLYeeo*
February	febbraio *febbraeeo*	**August**	agosto *agosto*
March	marzo *martso*	**September**	settembre *settembre*
April	aprile *apreele*	**October**	ottobre *ottobre*
May	maggio *majjeeo*	**November**	novembre *novembre*
June	giugno *jeeooNYo*	**December**	dicembre *deechembre*

Italian national holidays

New Year's Day [1st January]	Capodanno, Primo dell'Anno
Epiphany [6th January]	Epifania
Easter	Pasqua
Easter Monday	Pasquetta, Lunedì di Pasqua
Liberation Day [25th April]	Anniversario della Liberazione
Labour Day [1st May]	Festa del Lavoro, il Primo Maggio
Assumption Day [15th August]	Ferragosto
All Saints' Day [1st November]	Tutti i Santi
Immaculate Conception [8th December]	Immacolata
Christmas Day [25th December]	Natale
Boxing Day [26th December]	Santo Stefano

Distances between major cities [km]

Bologna										
780	Brindisi									
105	835	Firenze								
295	1060	225	Genova							
210	990	300	140	Milano						
590	375	490	715	785	Napoli					
1080	455	975	1200	1270	500	Reggio Calabria				
380	565	275	500	570	220	705	Roma			
330	1110	395	170	140	880	1370	670	Torino		
295	1015	395	540	410	880	1370	670	545	Trieste	
150	875	255	400	265	740	1225	530	400	160	Venezia

Signs and Notices

Affittasi	To let/for hire
Al completo	Full/no vacancies
Alt	Stop
Aperto	Open
Attenti al cane	Beware of the dog
Attenzione	Caution
Caldo	Hot
Cassa	Cash desk
Chiuso	Closed
Divieto di sosta	No parking
Donne	Ladies
Entrata	Entrance
Fermata	Bus stop
Freddo	Cold
Fuori servizio	Out of Order
Libero	Vacant
Non disturbare	Do not disturb
Non toccare	Do not touch
Occupato	Occupied
Pericolo	Danger
Pittura fresca	Wet paint
Privato	Private
Proprietà privata	Private property
Riservato	Reserved
Senso unico	One way
Spingere	Push
Strada privata	Private road
Tirare	Pull
Transito con catene	Chains required
Uomini	Gentlemen
Uscita (di sicurezza)	(Emergency) exit
Veleno	Poison
Vendesi	For sale
Vietato fumare	No smoking
Vietato l'acesso	No entry
Vietato l'ingresso	No entrance
Vietato sputare	Do not spit
Vietato toccare	Do not touch

WORDLIST

A

above sopra/su
abroad all'estero
to accept accettare
to accompany accompagnare
accountant il ragioniere
accustomed abituato
ache il dolore
actor l'attore
address l'indirizzo
adhesive l'adesivo
adult l'adulto
advertising la pubblicità
to advise consigliare
aerial l'antenna
affection l'affetto
Africa l'Africa
after dopo
afternoon il pomeriggio
age l'età
to age invecchiare
agent l'agente
air l'aria
  air hostess l'hostess
  airline la linea aerea
  airplane l'aeroplano
  airport l'aeroporto
alarm clock la sveglia
alive vivo
all tutto
almost quasi
alphabet l'alfabeto
Alps le Alpi
already già
also anche
always sempre
ambulance l'ambulanza
American americano
amusing divertente
anchor l'ancora
and e
angel l'angelo
animal l'animale
ankle la caviglia
anniversary l'anniversario
anorak la giacca a vento

ant la formica
antique antico
antiques dealer l'antiquario
apartment l'appartamento
aperitif l'aperitivo
appearance l'aspetto
appetite l'appetito
applause l'applauso
apple la mela
to appreciate apprezzare
apricot l'albicocca
April aprile
apron il grembiule
arch l'arco
architect l'architetto
arm il braccio
armchair la poltrona
around intorno/attorno
to arrive arrivare
art l'arte
artichoke il carciofo
article l'articolo
artist l'artista
ash la cenere
to ask chiedere/domandare
asparagus gli asparagi
asphalt l'asfalto
assistant l'assistente
association l'associazione
astronaut l'astronauta
atmosphere l'atmosfera
aubergine la melanzana
August agosto
aunt la zia
Australia l'Australia
Austria l'Austria
authority l'autorità
autumn l'autunno
avenue il viale
average la media

B

baby bambino/a
back (body) la schiena
bacon il bacon/la pancetta
  affumicata

137

badly male
bag la borsa
baker il panettiere/fornaio
baker's la panetteria/il
    panificio
balcony il balcone
ball la palla/il pallone
balloon il palloncino
banana la banana
band la banda
bank la banca
bank (of river) la riva
banquet il banchetto
bar il bar
barber il barbiere
barrel la botte
basil il basilico
basilica la basilica
basin la bacinella
basket il cestino
bath il bagno
    bath tub la vasca da
      bagno
to bathe fare il bagno
bathing costume il costume
    da bagno
bathroom la stanza da
    bagno/il bagno
battery la batteria/la pila
to be essere
to be able potere
to be called chiamarsi
to be enough/suffice bastare
beach la spiaggia
beach umbrella
    l'ombrellone
beans i fagioli
beard la barba
beautiful bello
to become diventare
bed il letto
    bedroom la camera/
      stanza da letto
    bedspread il copriletto
bee l'ape
beef il manzo
beer la birra
beginning l'inizio
behind dietro
to believe credere
bell la campana
to belong appartenere

belt la cintura/il cinto
bench la panchina
beret il berretto
better meglio/migliore
beware! attenzione!
bicycle la bicicletta
big grande/grosso
bill il conto
billion (1000 million) il
    miliardo
binoculars il binocolo
bird l'uccello
birth la nascita
birthday il compleanno
biscuit il biscotto
bitter amaro
black nero
blanket la coperta
blonde biondo
blouse la camicetta
to blow soffiare
blue azzurro/celeste/blu
boarding house la pensione
boat la barca
body il corpo
to boil bollire
boiling bollente
bolt il bullone
bone l'osso
bonnet (car) il cofano
book il libro
to book prenotare
booking la prenotazione
bookseller il libraio
bookshop la libreria
bookstall l'edicola
boot (shoe) lo stivale
    (of car) il portabagagli
boredom la noia
born nato
to borrow prendere in
    prestito
bottle la bottiglia
    bottle opener il
      cavatappi/
      l'apribottiglie
    bottle top il tappo
bottom (eg sea) il fondo
bottom (body) il sedere
bowl la ciotola
box la scatola
boy il ragazzo

brain il cervello
brake il freno
to brake frenare
bread il pane
   bread roll il panino/la pagnotta
to break rompere
breakfast la (prima) colazione
to have breakfast fare colazione
to breathe respirare
brick il mattone
bricklayer il muratore
bride la sposa
bridegroom lo sposo
bridge il ponte
brief breve
briefcase la ventiquattrore/la diplomatica
briefs lo slip
broadcast la trasmissione
broken rotto
broom la scopa
brother il fratello
brother-in-law il cognato
brown marrone
brush il pennello/la spazzola
to brush spazzolare
to brush one's teeth lavarsi i denti
bucket il secchio
buckle la fibbia
to build costruire
building l'edificio/il palazzo
bunch (keys/flowers) il mazzo
bunch (of grapes) il grappolo
bus l'autobus/il bus
business gli affari
but ma/però
butcher il macellaio
butcher's la macelleria
butter il burro
butterfly la farfalla
button il bottone
to buy comprare/acquistare
   to buy a ticket fare il biglietto
bye! ciao!

C
cabbage il cavolo/la verza
cafe il caffè/il bar
cake il dolce/la torta
calendar il calendario
calf il vitello
to call chiamare
camera la macchina fotografica
camping il campeggio
campsite il campeggio
can il barattolo/la lattina
Canada il Canadà
canal il canale
to cancel cancellare
candle la candela
cannon il cannone
canoe la canoa
canoeing il canottaggio
capital il/la capitale
captain il capitano
car la macchina/l'auto(mobile)
   car driver l'automobilista
   car park il parcheggio/posteggio
caraffe la caraffa
caravan la roulotte/il caravan
carbonated gassato
cardboard il cartone
care la cura
carnation il garofano
carpenter il falegname
carpet il tappeto
carriage la carrozza/il vagone
carrot la carota
to carry portare
cartoons i cartoni animati
cash register il registratore di cassa
castle il castello
cat il gatto
cathedral la cattedrale
cauliflower il cavolfiore
to cause causare
cave la grotta
to cease smettere
ceiling il soffitto
to celebrate festeggiare
celery il sedano

cellar la cantina
cemetery il cimitero/camposanto
centre il centro
century il secolo
ceramics la ceramica
certain certo
chair la sedia
change (money) il resto
 (small) gli spiccioli
to change cambiare
channel il canale
Channel (The English) la Manica
chapel la cappella
charity la beneficenza/carità
check il controllo
check-out assistant il cassiere/la cassiera
cheek la guancia
cheerful allegro
cheese il formaggio
chemist il farmacista
chemist's la farmacia
cheque l'assegno
cherry la ciliegia
chest (body) il petto
chest of drawers il comò
chicken la gallina/il pollo
chin il mento
chocolate il cioccolato
 (hot) la cioccolata
to christen battezzare
Christmas il Natale
church la chiesa
cigar il sigaro
cigarette la sigaretta
cinema il cinema
circle il cerchio/il circolo
circuit il giro/il circuito
circus il circo
city la città
clam la vongola
to clamber up arrampicarsi
class la classe
classroom l'aula
clean pulito
to clean pulire
cleaner's la lavanderia
clear chiaro
clerk l'mpiegato
client il cliente

clog lo zoccolo
to close chiudere
closed chiuso
cloth la stoffa
clothes i vestiti
 clothes hanger l'attaccapanni
clothing l'abbigliamento
cloud la nuvola
coach il pullman/la corriera
coal il carbone
coat il cappotto
cobbler il calzolaio
cockerel il gallo
coconut la noce di cocco
coffee il caffè
 coffee pot la caffettiera
coin la moneta
colander il colapasta
cold freddo
collapse il crollo
colleague il collega
college il collegio
colour il colore
comb il pettine
to come venire
comic il giornalino
comics i fumetti
commerce il commercio
to communicate comunicare
companion il compagno
company la compagnia
 (firm) l'azienda/la ditta
to comprise comprendere
concert il concerto
conductor (orchestra) il direttore d'orchestra
conference il congresso
confetti i coriandoli
confusion la confusione
congratulations gli auguri
congratulations! complimenti!
to contain contenere
cook il cuoco
to cook cucinare
cork il tappo di sughero
corn il grano
cost il costo
to cost costare
cot la culla

cotton il cotone
to count contare
counter (shop etc) il banco
country il paese/la nazione
countryside la campagna
couple la coppia
courgette la zucchina/lo
    zucchino
courtesy la cortesia
courtyard il cortile
cousin il cugino
cow la mucca
crab il granchio
craftsman l'artigiano
crane la gru
cream la panna
to create creare
cricket (animal) il grillo
    (game) il cricket
crockery le stoviglie
to cross attraversare
cross roads l'incrocio
crowd la folla
crown la corona
crumb la briciola
to cry piangere/gridare
cucumber il cetriolo
cup la tazza/scodella
cupboard la credenza
current (present) attuale
    (river) la corrente
curtain la tenda
cushion il cuscino
custom il custume/l'usanza
customs la dogana
to cut tagliare
cutlery le posate
cutlet la cotoletta

D
daddy babbo/papà
daily (newspaper) il
    quotidiano/giornale
to dance ballare/danzare
danger il pericolo
dangerous pericoloso
dark scuro
daughter la figlia
day il giorno/la giornata
    day after tomorrow
        dopodomani
dead morto

deaf sordo
dear caro
December dicembre
to decide decidere
deer il cervo
delay il ritardo
to delete cancellare
delicate delicato
delicatessen's la salumeria
delicious delizioso/squisito
dentist il dentista
department il reparto
to describe descrivere
design il disegno
to desire desiderare
detergent il detersivo
to develop sviluppare/
    svilupparsi
development lo sviluppo
devil il diavolo
dice il dado
dictionary il vocabolario/
    dizionario
to die morire
diesel il diesel/gasolio
different diverso
difficult difficile
to digest digerire
dining room la camera/sala
    da pranzo
dinner (evening) la cena
dinosaur il dinosauro
diploma il diploma
direction la direzione
director il direttore
directory l'elenco
dirty sporco
disagreeable antipatico
discount lo sconto
to discuss discutere
dish washer la lavastoviglie
disk il disco
distant lontano
divan il divano/sofà
to dive in tuffarsi
divorced divorziato
to do fare
doctor il dottore/medico
document il documento
dog il cane
doll la bambola
dollar il dollaro

donkey l'asino
door la porta
door bell il campanello
double doppio
doubt il dubbio
dove la colomba
down giù
downpour l'acquazzone
draughts la dama
drawer il cassetto
dress l'abito/il vestito
to dress vestire/vestirsi
dressed vestito
dressing gown la vestaglia/ veste da camera
drink la bevanda
to drink bere
to drive guidare
driver l'autista/il conducente
drop la goccia
drugs la droga
drunk ubriaco
dry asciutto/secco
duck l'anatra
dust la polvere
dustbin la pattumiera
dwelling l'abitazione

E
each ogni/ciascuno
eagle l'aquila
ear l'orecchio
early presto/di buon'ora
to earn guadagnare
earth la terra
east l'est
Easter la Pasqua
easy facile/semplice
to eat mangiare
economy l'economia
editor il redattore
egg l'uovo
eiderdown il piumino
eight otto
elbow il gomito
electric cooker la cucina elettrica
elegant elegante
to embrace abbracciare
empty vuoto
end la fine/il termine

England l'Inghilterra
English inglese
to enjoy oneself divertirsi
enormous enorme/immenso
enough abbastanza
entrance l'entrata/l'ingresso
environment l'ambiente
equal uguale
Europe l'Europa
European europeo
evening la sera
every ogni
exact esatto
exactly appunto
examination l'esame
example l'esempio
except escluso/tranne/ eccetto
exchange rate il cambio
exercise l'esercizio
exhibition la mostra/ l'esibizione
experience l'esperienza
expert l'esperto
to explain spiegare
exterior l'esterno
to extinguish spegnere
extinguisher l'estintore
eye l'occhio
eyebrows le sopracciglia

F
face la faccia
factory la fabbrica
to fall cadere
fame la fama
family la famiglia
famous famoso
far lontano
farm la fattoria
farmer l'agricoltore
fascinating affascinante
fashion la moda
fast veloce/rapido
fast train il diretto
fat grasso
father il padre
favour il favore
to favour favorire
February febbraio
to feel sentire/sentirsi

female femminile
feminine femminile
ferry boat il traghetto
few pochi
fiancé il fidanzato
field il campo
fifth quinto
to fill up fare benzina
film il film
to find trovare
fine (penalty) la multa/
     contravvenzione
  (eg weather) bello
finger il dito della mano
to finish finire/terminare
fire il fuoco
fireman il pompiere/vigile
     del fuoco
first primo
fish il pesce
to fish pescare
fisherman il pescatore
fishing la pesca
  fishing rod la canna da
     pesca
five cinque
flag la bandiera
flea la pulce
to flee fuggire
flight il volo
floor il pavimento
florist il fiorista
flour la farina
flower il fiore
  flower border l'aiuola
flute il flauto
fly la mosca
to fly volare
fog la nebbia
to follow seguire
food il cibo
foot il piede
forbidden vietato
forehead la fronte
foreign straniero
foreigner lo straniero
forest la foresta
to forget dimenticare
fork (table) la forchetta
forum il foro
fountain la fontana
France la Francia

free (no charge) gratis/
     gratuito
  (not occupied) libero
freezer il congelatore
French francese
  French beans i fagiolini
frequent frequente
to frequent frequentare
fresh fresco
Friday venerdì
friend l'amico/a
friendship l'amicizia
to frighten spaventare
fritter la frittella
frog la rana
in front of davanti/di fronte
frozen food il surgelato
fruit la frutta
  fruit juice il succo di
     frutta
  fruit salad la macedonia
frying pan la padella
full pieno/completo
to function funzionare
fun fair la giostra/la fiera
funnel l'imbuto
furnishings l'arredamento
furniture (piece of) il
     mobile

G
gallery la galleria
garage (for parking) il
     garage
  (for repairs) l'autorimessa
garden il giardino
garlic l'aglio
gas il gas
  gas cooker la cucina a gas
gate il cancello
to gather raccogliere
gauze la garza
gelatine la gelatina
gem la gioia/gemma
gentleman il signore
geography la geografia
geranium il geranio
German tedesco
Germany la Germania
to get angry arrabbiarsi

to get up alzarsi
gift il regalo
girl la ragazza
to give dare
to give (away) regalare
glass (for drinking) il
  bicchiere
  (material) il vetro
glasses gli occhiali
glove il guanto
glue la colla
to go andare
  to go away andarsene
  to go for a walk fare una
    passeggiata
  to go out uscire
  to go to bed andare a
    letto/coricarsi
  to go up salire
goat la capra
God Dio
goldsmith's l'oreficeria
gondola la gondola
good bravo/buono
goose l'oca
gossip le chiacchiere
to gossip chiacchierare
grammar la grammatica
gramme il grammo
grandfather il nonno
grandmother la nonna
grape harvest la vendemmia
grapefruit il pompelmo
grapes l'uva
grass l'erba
Great Britain Gran
  Bretagna
greatest più grande/
  massimo
Greece la Grecia
green verde
greengrocer il fruttivendolo
greenhouse la serra
greens la verdura
grey grigio
grill la griglia/graticola
grocer's la drogheria
ground il terreno
group il gruppo
to grow (something)
  coltivare
144 guest l'ospite

guide la guida
guitar la chitarra
gymnastics la ginnastica

H
hail la grandine
hair i capelli
half la metà
ham il prosciutto
hammer il martello
hand la mano
handbag la borsetta
handkerchief il fazzoletto
handle la maniglia
to happen succedere/
  accadere
happiness la felicità
happy contento/felice
hard duro
hat il cappello
to have avere
  to have dinner pranzare/
    cenare
  to have to dovere
head la testa
headache il mal di testa/
  capo
headlight il fanale/faro
healthy sano
to hear sentire
heart il cuore
heavy pesante
heel il calcagno
helicopter l'elicottero
hello! ciao!
helmet il casco
help l'aiuto
to help aiutare
hence quindi
her suo
here qua/qui
to hide nascondere
high alto
hill il colle/la collina
his suo
to hit colpire
hobby l'hobby
to hold tenere
hole il buco/foro
holiday la festa
holidays le ferie/vacanze
holy santo

honey il miele
hook il gancio
horizon l'orizzonte
horn (animal) il corno
 (car) il clacson
hors d'oeuvres l'antipasto
horse il cavallo
hospital l'ospedale
hot caldo
hotel l'albergo/l'hotel
hotelier l'albergatore
hour l'ora
house la casa
how come
 how much quanto
however però
hunger la fame
hunting la caccia
hurry la fretta
to hurt fare male
husband il marito
hut la capanna

I
I io
ice il ghiaccio
 ice cream il gelato
 ice lolly il ghiacciolo
idea l'idea
identity card la carta
 d'identità
if se
ill malato
illness la malattia
imagination la fantasia
to imagine immaginare
immediately subito/
 immediatamente
important importante
inch il pollice
including incluso
to increase aumentare
indeed infatti
independent indipendente
industry l'industria
inflation l'inflazione
information l'informazione
inhabitant l'abitante
inn la taverna
inquiry l'inchiesta
insect l'insetto

insecticide l'insetticida
inside dentro
instead invece
instrument lo strumento
insurance l'assicurazione
intelligence l'intelligenza
inter-city train il
 direttissimo
interesting interessante
international internazionale
invitation l'invito
Ireland l'Irlanda
iron (metal) il ferro
 (for clothes) il ferro da
 stiro
island l'isola
Italian italiano
Italians gl'italiani
Italy l'Italia

J
jacket la giacca
jam la marmellata
January gennaio
jar il barattolo
jazz il jazz
jeans i jeans
job l'impiego
joke lo scherzo/la
 barzelletta
joy la gioia
judo il judo
jug il bricco
July luglio
to jump saltare
jumper il maglione
June giugno
just appena

K
keeper il custode/guardiano
kettle il bollitore
key la chiave
kick il calcio/la pedata
to kill ammazzare/uccidere
kilogram il chilo(grammo)
kind (nice) gentile/cortese
 (type) la specie
king il re
kiosk il chiosco
kiss il bacio
to kiss baciare

145

kitchen la cucina
kite l'aquilone
knee il ginocchio
knickers le mutande
knife il coltello
to know conoscere/sapere

L
lace il pizzo
laces i lacci/le stringhe
ladder la scala
ladle il mestolo
lady la signora
lake il lago
lamb l'agnello
landing (stairs) il
   pianerottolo
landslide la frana
language la lingua
lantern la lanterna
large grande/grosso
last scorso/ultimo
   at last finalmente
to last durare
late tardi
to laugh ridere
law la legge
lawn il prato
lawyer l'avvocato
leaf la foglia
leaflet il dépliant
lean (meat) magro
to learn imparare
least minimo
   at least almeno
to leave lasciare
left sinistra
leg la gamba
lemon il limone
to lend prestare
less meno
letter la lettera
lettuce la lattuga
level crossing il passaggio a
   livello
library la biblioteca
life la vita
life-guard il bagnino
lift l'ascensore
to lift alzare
light (weight) leggero
   (lamp) la luce

to light accendere
light bulb la lampadina
lighter l'accendino
lighthouse il faro
lightning il fulmine/lampo
to like piacere
line la linea
liner il transatlantico
lips le labbra
list la lista/l'elenco
to listen ascoltare
litre il litro
little poco
   a little un po'
live vivo
to live vivere/abitare
liver il fegato
livestock il bestiame
living room il salotto/
   soggiorno
loan il prestito
lobster l'aragosta
locomotive la locomotiva
log il ceppo
London Londra
long lungo
to look guardare
   to look after curare/
     badare a
   to look for cercare
lorry il camion
   lorry driver il camionista
to lose perdere
lost property office l'ufficio
   oggetti smarriti
love l'amore
to love amare
low basso
lozenge la pastiglia
luck la fortuna
lucky fortunato
luggage il bagaglio
   luggage rack il
     portabagagli
lunch la colazione/il pranzo
luxury il lusso

M
machine la macchina
mad pazzo/matto
magazine la rivista
magnificent magnifico

to make fare/costruire/creare
male maschile
man l'uomo
management la direzione/gestione
manner il modo/la maniera
many molti/e/tanti/e
map la carta geografica/pianta
marble il marmo
March marzo
market il mercato
marriage il matrimonio
marrow la zucca
to marry sposarsi
marvellous meraviglioso
master il maestro
matches i fiammiferi/cerini
material (cloth) la stoffa/il tessuto
mathematics la matematica
mature maturo
May maggio
mayor il sindaco
meal il pasto
meat la carne
mechanic il meccanico
medicine la medicina
to meet incontrare
meeting l'incontro/l'assemblea
melon il melone
member il socio
to mend aggiustare
menu il menù
message il messaggio
metal il metallo
method il metodo
metre il metro
microphone il microfono
midday il mezzogiorno
midnight la mezzanotte
military militare
milk il latte
milkman il lattaio
mill il mulino
minute il minuto
mirror lo specchio
miss la signorina
mist la nebbia
mixed misto

mixer il frullatore
modern moderno
modest modesto
moment l'attimo/il momento
Monday lunedì
money il denaro/i soldi
month il mese
monument il monumento
moon la luna
moped il ciclomotore
morning la mattina/il mattino
mosquito la zanzara
mother la madre/mamma
mother-in-law la suocera
motive il motivo/la ragione
motor il motore
motor boat il motoscafo
motorbike la moto(cicletta)
mountain la montagna/il monte
mountaineer l'alpinista
mouse il topo
moustache i baffi
mouth la bocca
to move muovere/muoversi
movement il movimento
much molto
mud il fango
mule il mulo
mum la mamma
museum il museo
mushroom il fungo
music la musica
musician il musicista
my mio

N
nail (metal) il chiodo
  (finger) la unghia
name il nome
napkin il tovagliolo/la salvietta
narrow stretto
nation la nazione
national nazionale
natural naturale
naturally naturalmente
nature la natura
naughty cattivo/birichino
near vicino

147

necessary necessario
neck il collo
need il bisogno
needle l'ago
nest il nido
net la rete
never mai
new nuovo
news la notizia/novità
newspaper il giornale/
   quotidiano
   newspaper vendor il
      giornalaio
next prossimo
   next to accanto/vicino a
nice simpatico
night la notte
nightdress la camicia da
   notte
nine nove
no one nessuno
nobody nessuno
noise il rumore
noon il mezzogiorno
north il nord/settentrione
nose il naso
not even nemmeno/
   neppure/neanche
nothing niente/nulla
novelty la novità
November novembre
now adesso/ora
nude nudo
number il numero
numerous numeroso
nurse l'infermiera
nut la noce/nocciola

O

oar il remo
objective la meta/l'obiettivo
to observe osservare
to occupy occupare
October ottobre
octopus il polpo
to offer offrire
office l'ufficio
oil l'olio
   oil cruet l'oliera
old anziano/vecchio
older people gli anziani
olive l'oliva

olive oil l'olio d'oliva
Olympics le Olimpiadi
omelette l'omelette
on su
   on purpose apposta
onion la cipolla
only (sole) unico/solo
open aperto
to open aprire
opera l'opera
opposite contrario/opposto
or o/oppure
orange (fruit) l'arancia
   (colour) arancione
orangeade l'aranciata
orchestra l'orchestra
to order ordinare
ordinary comune
organ l'organo
origin l'origine
other altro
our nostro
outboard motorboat il
   fuoribordo
outside fuori
oven il forno
ox il bue
oyster l'ostrica

P

to package imballare
packet il pacchetto
to paint dipingere
painter il pittore
pair il paio
palace il palazzo
pale pallido
pamphlet l'opuscolo
paper la carta
parachute il paracadute
paraffin la paraffina
parapet il parapetto
parcel il pacco
parents i genitori
park il parco
parking place il parcheggio/
   posteggio
party la festa
passer-by il passante
passport il passaporto
pastry la pasta dolce
patient il paziente

148

pattern il modello
pavement il marciapiede
to pay pagare
pea il pisello
peace la pace
peaceful tranquillo
peach la pesca
peanut l'arachide/la
    nocciolina americana
pear la pera
pearl la perla
pedestrian il pedone
    pedestrian crossing le
        strisce pedonali
pen la penna
pencil la matita
pension la pensione
people la gente/le persone
    (nation) il popolo
pepper il pepe
    (capsicum) il peperone
percolator la caffettiera
perfect perfetto
perfume il profumo
perhaps forse
person la persona
to perspire sudare
petrol la benzina
    petrol pump attendant il
        benzinaio
pheasant il fagiano
philosophy la filosofia
photograph la fotografia
to photograph fare
    fotografie
physical fisico
piano il pianoforte
picture il quadro/la figura
pier il molo
pig il maiale
pill la pillola/pastiglia
pillow il guanciale/cuscino
pilot il pilota
pin lo spillo
pineapple l'ananas
pink rosa
place il posto/luogo
plan (of town) la pianta/
    piantina
plant la pianta
plaster cast il gesso
plate il piatto

platform il binario/la
    piattaforma
to play (instrument)
    suonare
    (game) giocare
playing cards le carte da
    gioco
plum la prugna/susina
plumber l'idraulico
pocket la tasca
point la punta/il punto
pole il palo
police la polizia
policeman il poliziotto/
    vigile
politics la politica
poorly male
popular popolare
port il porto
post (mail) la posta
to post imbucare
post office l'ufficio
    postale
postcard la cartolina
poster il manifesto
posterior il sedere
postman il postino
potato la patata
pound sterling la sterlina
powder (cosmetic) la
    cipria
powder puff il piumino
pram la carrozzina
prawn il gambero
precious prezioso
precise preciso
to prefer preferire
to prepare preparare/
    prepararsi
present il regalo/dono
president il presidente
press la stampa
pretty grazioso/carino
price il prezzo
prime minister il primo
    ministro
prince il principe
princess la principessa
to print stampare
prison la prigione
private privato
process il processo

product il prodotto
profession la professione
professor il professore
programme il programma
pronunciation la pronuncia
proud orgoglioso
province la provincia
public pubblico/il pubblico
  public gardens il giardino pubblico
puddle la pozzanghera
to pull tirare
pullover il maglione/pullover
pumpkin la zucca
puncture il foro/la foratura
pupil l'alunno/lo scolaro
purse il portamonete
to push spingere
to put mettere
pyjamas il pigiama

Q
quality la qualità
quarter (of town) il quartiere
quarter of an hour il quarto d'ora
queen la regina
question la domanda
quick rapido/veloce
quickly rapidamente/velocemente

R
rabbit il coniglio
race la corsa
  (species) la razza
racket la racchetta
radiator il calorifero/termosifone
radio la radio
raft la zattera
rag lo straccio
rail la rotaia
railway la ferrovia
rain la pioggia
to rain piovere
rainbow l'arcobaleno

raincoat l'impermeabile
to raise alzare/sollevare
raisins l'uva passa
raspberry il lampone
rather anzi/piuttosto
raw crudo
to reach raggiungere
to read leggere
ready pronto
really veramente
rear il retro
recently recentemente/da poco
reception la ricezione
recipe la ricetta
record player il giradischi
recreation la ricreazione
red rosso
reef lo scoglio
refrigerator il frigorifero
region la regione
religion la religione
to remain rimanere/restare
remains i resti
to remember ricordarsi
to rent affittare
reply la risposta
to reply rispondere
republic la repubblica
residence la residenza
to rest riposarsi
restaurant il ristorante/la trattoria
  restaurant car la carrozza ristorante
restoration il restauro
to return ritornare/tornare
rhythm il ritmo
rib la costola
ribbon il nastro
rice il riso
rifle il fucile
right destra
  (fair) giusto/esatto
ring l'anello
to ring suonare
ripe maturo
river il fiume
road la strada/via
roast arrosto
rock la roccia
Roman romano

Rome Roma
roof il tetto
room la camera/stanza
rope la corda/fune
rose la rosa
round rotondo/tondo
rubber la gomma/il cacciù
rucksack lo zaino
to ruin rovinare
to run correre
Russian russo

S
sack il sacco
sad triste
saddle la sella
sail la vela
sailor il marinaio
saint il santo
salad l'insalata
   salad bowl l'insalatiera
salary lo stipendio
salmon il salmone
salt il sale
   salt cellar la saliera
same stesso
sandals i sandali
sandwich il tramezzino
satisfied soddisfatto
Saturday sabato
sauce la salsa/il sugo
saucepan la pentola/il
   tegame
sausage la salsiccia
saw la sega
to say dire
scales la bilancia
scarf la sciarpa
scene la scena
school la scuola
science la scienza
scissors le forbici
scooter la motoretta/il
   motorino
screwdriver il cacciavite
sculpture la scultura
sea il mare
season la stagione
seat il sedile
seaweed le alghe
second secondo

secret (il) segreto
secretary la segretaria
to see vedere
seed il seme
to seem sembrare
to sell vendere
seller il venditore
September settembre
serious grave/serio
service il servizio
to sew cucire
sewer la fogna
sewing machine la
   macchina da cucire
shade l'ombra
shadow l'ombra
shape la forma
sheep la pecora
sheet (on bed) il lenzuolo
   (of paper) il foglio
shell (sea) la conchiglia
   (egg) il guscio
shepherd il pastore
to shine brillare
ship la nave
shirt la camicia
shoe la scarpa
shop il negozio
   shop window la vetrina
shopkeeper il negoziante
shopping la spesa
short corto/breve
shoulders le spalle
to shout gridare
show lo spettacolo
to show mostrare/illustrare
shower la doccia
shrimp il gamberetto
side il fianco/lato
to sign firmare
silence il silenzio
silk la seta
silver l'argento
simple semplice
to sing cantare
singer il/la cantante
single singolo
sink il lavandino/lavello/
   lavabo
sister la sorella
to sit down accommodarsi/
   sedersi

size (dimensions) la misura
(clothes) la taglia
skates i pattini
to ski sciare
skier lo sciatore
skirt la gonna
skis gli sci
skyscraper il grattacielo
slap lo schiaffo
sledge la slitta
to sleep dormire
slice la fetta
slide (film) la diapositiva
slim snello
slippers le pantofole
slow lento
small piccolo
smile il sorriso
to smile sorridere
smoke il fumo
to smoke fumare
snack lo spuntino/la
merenda
snake il serpente/la biscia
to snore russare
snow la neve
so much tanto
soap il sapone
soccer il calcio
socks le calze
soft morbido
soft drink l'analcolico/la
bibita
soldier il soldato
sole (fish) la sogliola
some alcuni/qualche/certi
somebody qualcuno
someone qualcuno
something qualcosa
somewhat piuttosto
song la canzone
soon presto/fra poco
sorry! scusi!/scusate!
sound il suono
soup (thick) la minestra/
zuppa
(clear) il brodo
south il sud/meridione
souvenir il ricordo/souvenir
space lo spazio
to speak parlare
special speciale

speciality la specialità
to spend spendere
spider il ragno
spinach gli spinaci
spirits i liquori
to split spaccare
sponge la spugna
spontaneous spontaneo
spoon il cucchiaio
sport lo sport
sports field il campo
sportivo
spring (season) la
primavera
(metal) la molla
square la piazza
squid il calamaro/la seppia
stadium lo stadio
stairs le scale
stamp il francobollo
to stand stare in piedi
star la stella
to start cominciare/iniziare
station la stazione
station master il
capostazione
statue la statua
steak la bistecca
steam il vapore
steamer il vaporetto
steep ripido
steering wheel il volante
step il gradino/lo scalino
stew lo stufato/lo
spezzatino
stick il bastone
still (time) ancora
stomach lo stomaco
stone il sasso/la pietra
stool lo sgabello
stop (bus) la fermata
to stop fermare/fermarsi
to stop [doing
something] smettere
storey il piano
story la storia
stove il fornello
straight diritto
strange strano
straw (drinking) la
cannuccia
strawberry la fragola

stream il ruscello
street lamp il lampione
stress lo stress
stretcher la barella
string lo spago
student lo studente/la studentessa
to study studiare
stuffed ripieno/imbottito/farcito
stupendous stupendo
stupid scemo/stupido/tonto
style lo stile
suburbs la periferia
suddenly improvvisamente
sufficient sufficiente
sugar lo zucchero
  sugar bowl la zuccheriera
suit l'abito
suitcase la valigia
summer l'estate
sun il sole
Sunday domenica
sunflower il girasole
sunshade il parasole
superior superiore
supermarket il supermercato
surname il cognome
sweat il sudore
to sweep spazzare/scopare
sweet la caramella/il dolce
sweetcorn il granturco/mais
sweets i dolciumi
to swim nuotare
swimming il nuoto
swing l'altalena
switch l'interruttore
Switzerland la Svizzera
symbol il simbolo
syringe la siringa

T
table il tavolo
tablecloth la tovaglia
tablet la compressa/pastiglia
tail la coda
to take prendere/portare
tall alto
tap il rubinetto
tart la crostata

tax l'imposta/la tassa
taxi il taxi
  taxi driver il tassista
tea il tè
to teach insegnare
teacher l'insegnante/il maestro
team la squadra
teapot la teiera
teaspoon il cucchiaino
teddy bear l'orsacchiotto di pezza
telephone il telefono
to telephone telefonare
telephone kiosk la cabina telefonica
telescope il cannocchiale
television la televisione
  television set il televisore
temperature (heat) la temperatura
  (fever) la febbre
temple il tempio
tent la tenda
terrace la terrazza
terrible terribile
terror il terrore
thanks grazie
that quello
theatre il teatro
then allora/poi
there là/lì
thermal baths le terme
thermometer il termometro
thick spesso/denso
thief il ladro
thigh la coscia
thimble il ditale
thin magro
thing la cosa
to think pensare
thirst la sete
this questo
  this evening stasera
  this morning stamattina
  this time questa volta/stavolta
thousand mille
thread il filo
thumb il pollice
Thursday giovedì
thus così

153

ticket il biglietto
   ticket collector il controllore
   ticket office la biglietteria
tide la marea
tie la cravatta
tight stretto
tights i collant
till la cassa
time la volta/il tempo
timetable l'orario
tin (container) il barattolo/la scatola
tin opener l'apriscatola
tip la mancia
to tire stancare/stancarsi
tired stanco
tiring faticoso
toadstool il fungo
toast (to someone) il brindisi
toaster il tostapane
tobacco il tabacco
tobacconist's la tabaccheria
today oggi
toe il dito del piede
together assieme/insieme
toilet il gabinetto/la toilette
tomato il pomodoro
tomb la tomba
tomorrow domani
tongue la lingua
too anche
   too much troppo
tooth il dente
   tooth ache il mal di denti
   toothbrush lo spazzolino da denti
   toothpaste il dentifricio
top la cima
torch la torcia elettrica
total totale
tourism il turismo
tourist il turista
towards verso
towel l'asciugamano
tower la torre
town (large) la città
   (small) la cittadina
town hall il municipio/comune
toy il giocattolo

tracksuit la canadese
tractor il trattore
trade il mestiere
trader il commerciante
tradition la tradizione
traffic il traffico
   traffic lights il semaforo
trailer il rimorchio
train il treno
tram il tram
to transfer trasferire
travel il viaggio
to travel viaggiare
travel agency l'agenzia di viaggi
tray il vassoio
treasure il tesoro
to tremble tremare
trial il processo
triangle il triangolo
trifle la zuppa inglese
trip la gita/il viaggio
trolley il carrello
   trolley bus il filobus
trousers i calzoni/pantaloni
trout la trota
true vero
to try provare
Tuesday martedì
tuna il tonno
tunnel il tunnel/la galleria
turkey il tacchino
turn (shift) il turno
two due
type la specie/il tipo
typewriter la macchina da scrivere
typist la dattilografa
tyre il copertone/la gomma

U
ugly brutto
ultimately infine
umbrella l'ombrello
unbelievable incredibile
uncle lo zio
under sotto
underpants le mutande/lo slip
to understand capire/comprendere
to undress spogliarsi

unexpected imprevisto
unfortunately purtroppo/
  sfortunatamente
United States gli Stati Uniti
up su
to use usare
usual solito
utensil l'utensile

V

vacuum cleaner
  l'aspirapolvere
valley la valle
value il valore
van il camioncino/furgone
vase il vaso
vegetables la verdura
vegetable soup il
  minestrone
velvet il velluto
vermouth il vermut
very molto/tanto
vest la canottiera/maglia
view il panorama
villa la villa
village il paese/villaggio
vine la vite
vinegar l'aceto
vineyard la vigna/il vigneto
violence la violenza
violet viola
violin il violino
to visit visitare
vitamin la vitamina
voice la voce
volcano il vulcano
voltage il voltaggio

W

wait l'attesa
to wait aspettare/attendere
waiter il cameriere
to wake up svegliarsi
Wales il Galles
walk la passeggiata
to walk camminare
wall (city) il muro
  (internal) la parete
wallpaper la carta da
  parati/tapezzeria
to want volere
war la guerra
wardrobe l'armadio

to wash lavare/lavarsi
wash stand il lavabo
washing il bucato
  washing machine la
    lavatrice
wasp la vespa
watch l'orologio da polso
water l'acqua
waterfall la cascata
watermelon il cocomero
wave l'onda
we noi
weather il tempo
Wednesday mercoledì
week la settimana
weekend il finesettimana/
  weekend
to weep piangere
weight il peso
well (fine) bene
  (water) il pozzo
wet bagnato
whale la balena
wheel la ruota
when quando
where dove
which quale
whisk il frullino
to whisper sussurrare
white bianco
who chi
whole intero/tutto
widow la vedova
widower il vedovo
wife la moglie
to win vincere
wind il vento
windcheater la giacca a
  vento
window la finestra/il
  finestrino
windscreen il parabrezza
wine il vino
wing l'ala
winter l'inverno
with con
without doubt
  indubbiamente/senza
  dubbio/senz'altro
woman la donna
wood (forest) il bosco
  (material) il legno

wool la lana
word la parola
work il lavoro
to work lavorare
worker il lavoratore/
    l'operaio
world il mondo
to wrap up incartare
wreath la corona
wrist il polso
   wrist watch l'orologio da
      polso
to write scrivere

Y
year l'anno

yellow giallo
yesterday ieri
yoghurt lo yoghurt
you (singular) tu/lei
   (plural) voi
young giovane
your (singular) tuo/suo
   (plural) vostro

Z
zero zero
zip la chiusura a lampo/
     cerniera
zone la zona
zoo lo zoo